FABULA

39

Leonardo Sciascia

Candido
ovvero
Un sogno fatto in Sicilia

ADELPHI EDIZIONI

ISBN 88-459-0739-2

CANDIDO
OVVERO
UN SOGNO FATTO IN SICILIA

*Del luogo e della notte in cui nacque Candido Munafò; e
della ragione per cui si ebbe il nome di Candido.*

Candido Munafò nacque in una grotta, che si
apriva vasta e profonda al piede di una collina di
olivi, nella notte dal 9 al 10 luglio del 1943. Niente di
più facile che nascere in una grotta o in una stalla, in
quell'estate e specialmente in quella notte: nella Sicilia guerreggiata dalla settima armata americana del
generale Patton, dall'ottava britannica del generale
Montgomery, dalla divisione tedesca *Hermann Goe-
ring*, da qualche sparuto, quasi sparito, reggimento
italiano. E proprio quella notte, illuminato sinistra-
mente il cielo dell'isola di bengala multicolori, arate
le città di bombe, le armate di Patton e Montgomery
sbarcavano.

Nessun segno soprannaturale e premonitore,
dunque, nella nascita di Candido Munafò dentro
una grotta; né nel fatto che quella grotta fosse nel
territorio di Serradifalco, la montagna del falco, un
luogo da cui spiccar volo, e volo rapace; e ancor
meno nel fatto che per tutta quella notte il cielo si

illuminasse di razzi ora rosseggianti ora candenti e risuonasse di un vasto frinire metallico, ma come se di metallo fosse la volta notturna e non gli aerei che l'attraversavano e la cui invisibile traiettoria finiva in grappoli di esplosioni più o meno lontane. Indicato dal destino – e cioè dagli avvenimenti che da quella sera corsero in Sicilia e in Italia – fu invece il nome che gli misero; e carico di destino anche. Fosse nato dodici ore prima, nella città fino a quel momento mai bombardata, il suo nome sarebbe stato Bruno: quello del figlio di Mussolini che da aviatore era morto e che viveva nel cuore di tutti gli italiani come l'avvocato Munafò e sua moglie, Maria Grazia Munafò nata Cressi, figlia del generale della milizia fascista Arturo Cressi, eroe delle guerre di Etiopia e di Spagna e un po' meno, per sopravvenuti reumatismi, di quella in corso. Nato dopo il primo e terribile bombardamento della città in cui risiedevano, i genitori gli scelsero invece il nome di Candido: dal padre trovato automaticamente, quasi surrealmente; dalla signora Maria Grazia accettato per ragioni non del tutto nobili, come quello che era talmente opposto al Bruno prima scelto da cancellarne persino l'intenzione. Come una pagina bianca, il nome Candido: sulla quale, cancellato il fascismo, bisognava imprendere a scrivere vita nuova. L'esistenza di un libro intitolato a quel nome, di un personaggio che vagava nelle guerre tra àvari e bulgari, tra gesuiti e regno di Spagna, era perfettamente ignota all'avvocato Francesco Maria Munafò; nonché l'esistenza di Francesco Maria Arouet, che di quel personaggio era stato creatore. Ed anche alla signora, che qualche libro lo leggeva; a differenza del marito che non uno ne aveva mai letto se non per ragioni di scuola e di professione. Come poi entrambi avessero attraversato ginnasio, liceo e università senza mai sentire parlare di Voltaire e di Candido, non è da stupirsene: capita ancora.

Nella mente dell'avvocato Munafò, il nome Candido era esploso appena cessate le esplosioni di quel primo e terribile bombardamento della città in cui risiedeva. Si trovava vicino alla stazione ferroviaria, quando verso le quattro del pomeriggio era improvvisamente cominciato. Quasi correva, a non perdere il treno per Palermo, dove l'indomani, in quell'Assise, aveva da provare l'innocenza di un assassino. Ed ecco che improvvisamente si trovò come dentro una corolla cui tremende esplosioni, quasi esattamente concentriche, facevano da petali. Si buttò o fu buttato a terra, la borsa con le carte del processo stretta al petto. Dieci minuti dopo – ché tanto, seppe poi, era durato il bombardamento – si rialzò in un silenzio attonito, pauroso: un silenzio che pioveva polvere, fittissima e infinita polvere. Ma dapprima fu come cieco: fu il pianto, furono le lacrime, che gli aprirono lo sguardo a quella pioggia di polvere. Quando, secoli dopo, la polvere cominciò a diradarsi, vide che la strada non c'era più, che non c'era più la stazione ferroviaria, che non c'era più la città. Uscì dalla corolla facendosi scivolare nell'immenso fossato che c'era intorno e poi faticosamente risalendolo. E si trovò davanti una grottesca statua di gesso, vivi e come appena trapiantati, atrocemente strappati a un uomo vivo e trapiantati nella statua, soltanto gli occhi. Gli ci volle del tempo, sul confine della follia, prima che dalla borsa che ancora teneva stretta al petto, si riconoscesse: in quello specchio piovuto quasi intatto da una delle case che non c'erano più. E si trovò a pronunciare e a ripetere, a ripetere, la parola «candido». E così si rapprese in lui la coscienza di chi era, di dove era, di quel che era accaduto: attraverso quella parola. Candido, candido: il bianco di cui si sentiva incrostato, il senso di rinascere che cominciava a sgorgargli dentro. E sempre ripetendo la parola, si strappò da quella stupita e stupida contemplazione di sé nello specchio polveroso, nell'improvvisa ansietà, dolorosa come una ferita di cui non si fosse prima accorto, di quel che poteva essere accaduto a sua moglie, al bambino che da un giorno all'altro sarebbe nato, alla sua casa. Solo che non sapeva più da quale parte stesse, la sua casa: e muovendosi col passo che si può fantasticare abbia una statua di gesso, andava ora da una parte ora dall'altra. E si cominciavano a sentire gemiti, grida d'aiuto.

Vagò senza sapere da quale parte andare finché di tra le macerie non spuntò una pattuglia di soldati guidata da un giovanissimo ufficiale. I soldati, trovandosi di fronte quella statua di gesso, risero nervosamente. L'ufficiale gli domandò dove andasse, che cosa cercasse. L'avvocato disse il nome della strada in cui abitava e il proprio, l'ufficiale tirò dalla borsa che aveva a tracolla una pianta della città, la orientò sui resti fumiganti della stazione ferroviaria, indicò la direzione che l'avvocato doveva prendere per trovare la sua casa; e gli augurò di trovarla. «Grazie» disse l'avvocato: e si avviò tra le macerie.

Dopo un paio d'ore ritrovò la sua casa. Intatta, soltanto tutte le porte e le finestre erano aperte e quasi divelte. Addossate a un angolo, sua moglie e la cameriera, stravolte, recitavano preghiere. Ne recitò un paio anche l'avvocato. Poi riempirono due valigie di biancheria, presero gioielli, soldi e libretti di banca; e scesero in mezzo alla fiumana umana che fuggiva verso la campagna.

Ebbero subito fortuna. All'uscita dalla città, c'era una colonna di autocarri militari, ferma al riparo degli alberi. Tutta quella massa in fuga furiosamente vi salì sopra, al capitano che aveva ordinato ai soldati di farla scendere fu minacciato, e specialmente dalle donne, di cavargli gli occhi e di tritarlo per polpette. Il capitano considerò la situazione: i suoi soldati erano pochi e moltissime le donne inferocite. Diede ordine che si partisse. «E dove andiamo?» domandarono i soldati. «Dove porta la strada» rispose il coro delle donne. Sembrò una risposta sensata, data la circostanza. Gli autocarri partirono. Avevano fatto una ventina di chilometri, quando apparvero quei terribili aerei americani a doppia coda. Lucevano nel crepuscolo che sarebbe stato bello guardarli scendere come volessero prendere terra. Solo che sventagliarono mitraglia. Dagli autocarri che si erano fermati sciamò, vociando terrore, la fuga verso la campagna.

Quando il mitragliamento finì e gli aerei sparirono, gli autocarri erano tutti in fiamme. E c'erano tre o quattro morti di cui nessuno si curò. In quella campagna, nella grotta che poi scoprirono, Candido Munafò nacque quattro ore dopo il mitragliamento.

Di come l'avvocato Munafò cominciò a dubitare di essere il padre di Candido; e dei guai che ne seguirono.

Dopo aver messo al mondo Candido davanti a un centinaio di donne che nella grotta facevano operosa confusione (situazione che a un collega dell'avvocato Munafò, presente tra i fuggiaschi, ricordò quella della normanna Costanza che nella piazza di Jesi aveva messo al mondo l'imperator Federico, sotto una tenda e da tante donne circondata), la signora Maria Grazia Munafò nata Cressi diventò, a giudizio dell'avvocato suo marito, *un'altra*. A giudizio degli amici, più bella. Delle amiche – e il loro giudizio si avvicinava a quello del marito – più dura nei lineamenti e nei sentimenti, più irritabile e più irritante, più velenosa nel parlare e più distratta nell'ascoltare. Sicché, già prima di Natale, la signora si trovò ad avere più amici che amiche: il che abbastanza visibilmente era per l'avvocato Munafò motivo di inquietudine, di malumore.

Ma la signora, benché *un'altra* si sentisse nel corpo, deliziosamente ronzante di appetiti come un favo alacre, ambrato e dolcissimamente stillante, non le passava in quel momento per la testa di potere tra quegli amici eleggerne uno ai furtivi amori cui tante sue amiche, o ex amiche, si concedevano. Gli uomini le interessavano più delle donne per una ragione quanto mai semplice: perché gli uomini facevano politica e lei di uomini che facevano politica in quel momento aveva bisogno. Il generale Arturo Cressi, suo padre, da quella stessa notte in cui Candido era nato si considerava, e desiderava essere considerato, come morto. Di paura e per paura: ma la figlia, che lo adorava, riteneva si sentisse morto, e tale voleva essere considerato, perché morta era la patria, morto il fascismo, finito Mussolini come prigioniero in mano tedesca. Si adoperò dunque per far tornare – lei diceva – qualche scintilla di vita nell'occhio (appunto ne aveva uno: l'altro non si sapeva bene in quale eroica azione l'avesse perduto) spento dalla paura, ma lei credeva dalla delusione e dal disdegno, del generale. E scelse la strada giusta: quella stessa che il generale, se avesse avuto meno paura, avrebbe scelto.

La più immediata paura del generale era quella che gli americani lo deportassero in Africa settentrionale: come facevano con tutti quelli che venivano loro indicati come fascisti pericolosi. Questo possibile evento, Maria Grazia trovò subito modo di renderlo impossibile. E bisogna dire: grazie a Candido. Fu la prima e sola volta che Candido, in famiglia, servì a qualcosa. Poiché sua madre aveva deciso di non allattarlo al seno, come quasi tutte le madri in quel periodo facevano, si provò dapprima a dargli del latte di asina, considerato leggerissimo e squisito da tutti coloro che non ne avevano mai bevuto. Candido lo rifiutò. Si provò allora col latte di capra diluito: ma era una fatica farglielo inghiottire né, una volta inghiottito, si poteva impedire che lo rigurgitasse. Vacche nella campagna non c'erano più. L'avvocato Munafò fu perciò costretto a venir meno a quella dignità patriottica che aveva deciso di mantenere nei riguardi del nemico vincitore: andò a trovare il capitano americano che nella città comandava tutto e tutti, gli prospettò la condizione di affamato in cui Candido si dibatteva e guaiva, e specialmente di notte; e quella della signora Maria Grazia e sua, di genitori angosciati e insonni. Il capitano se ne commosse: gli mandò a casa latte in polvere, latte condensato, latte semicondensato, zucchero, caffè, fiocchi di avena, biscotti al malto e carne in scatola. Un bendidio, anche per una casa dalla dispensa ben fornita come quella dei Munafò.

L'avvocato tornò dal capitano per ringraziarlo. E questa volta il capitano, forse perché aveva meno da fare, lo intrattenne con confidenza. Fu il professore che era – di letteratura italiana, in una università – e non il capitano, con poteri quasi assoluti e a volte capricciosi, che a tutti nella città appariva. E parlò di sua madre, ne mostrò all'avvocato la fotografia a colori. Siciliana, sua madre; di un paese vicino, a quindici chilometri. Ma non ricordava, sua madre, di avere parenti, in quel paese. L'avvocato, dal cognome, tentò di trovargliene: quel paese lo conosceva bene. Così, conversarono piacevolmente per un paio d'ore. Tornando a casa, l'avvocato, a modo di epigrafe al racconto della sua conversazione col capitano, enunciò a sua moglie la profonda verità che in quella conversazione gli si era rivelata. « Il mondo è davvero piccolo » disse. Di questa opinione certamente non erano i soldati che in quel momento morivano a migliaia di chilometri dal loro paese; ma la condivise subito la signora Munafò. E volle ulteriormente rimpiccolirlo, il mondo, invitando a pranzo il capitano John H. Dykes. La H. stava per Hamlet: rivelazione che incantò poi Maria Grazia, al punto che finì col chiamare il capitano semplicemente Amleto, quando tra loro ci fu sufficiente confidenza. Il che piacque tanto al capitano, poiché – disse – così sua madre usava chiamarlo.

Già prima che il capitano John H. Dykes diventasse, in casa Munafò, Amleto, il generale aveva ripreso vita. E per essere esatti: alla seconda volta che il capitano andò a pranzo in casa di sua figlia. Alla terza, c'era anche il generale. Il passato fascista del generale, che non gli fu nascosto, impressionò anzi favorevolmente il capitano. Sua madre gli aveva sempre detto che grazie al fascismo gli italiani all'estero avevano guadagnato un po' di rispetto.

Fugato l'incubo della deportazione, Maria Grazia si diede da fare per portare suo padre dentro la politica che, nonostante la proibizione degli americani di farla, cominciava a muoversi. Il generale aveva una certa propensione verso i comunisti, ricordando una massima che una volta, verso il '30, Mussolini gli aveva confidato. «Caro Arturo» gli aveva detto il duce: e il generale riferiva la massima caricando di infinita dimestichezza il «caro Arturo», «caro Arturo, se il fascismo crolla, non c'è che il comunismo». E poi, tra i frequentatori di casa Munafò, c'era l'avvocato Paolo di Sales, barone, che era stato aiutante di campo del generale durante la guerra di Spagna, che su quella guerra aveva scritto un libro (*Il fiore di Carmen e il fascio littorio*), e che ora si diceva fosse, in pectore, il segretario locale del Partito Comunista. Ma Maria Grazia non ammetteva che, con Amleto per casa, si mostrasse simpatia per il Partito Comunista. O la Democrazia Cristiana o il Partito Liberale: tra questi due si addiceva e conveniva che il generale scegliesse. Il generale vinse la repugnanza che sentiva per i preti ricordando che in Spagna aveva combattuto per la fede di Cristo: e scelse la Democrazia Cristiana.

Intanto, mentre Maria Grazia costruiva la nuova fortuna politica di suo padre, Candido veniva su, grazie al latte e ad altri prodigiosi alimenti americani, roseo e biondo, da bruno che pareva nei primi giorni di vita. Somigliava sempre più a John H. Dykes – ad Amleto (ma l'avvocato Munafò, con

17

scontrosa ostinazione, continuava a chiamarlo Ggionn). Questa somiglianza sempre più evidente, e la familiarità, l'afflato che si erano stabiliti tra Maria Grazia ed Amleto, sconvolsero l'avvocato Munafò al punto che in lui cominciò a crescere oscuramente, come un tumore, un pensiero che non si poteva dire pensiero, un sospetto che non si poteva dire sospetto, un sentimento che non si poteva dire sentimento. Nei momenti in cui si avvicinava a decifrarlo, rideva di sé, si scherniva, si dava del pazzo. Ma il tumore c'era, e cresceva. Ed era questo: che John H. Dykes fosse il padre di Candido o che comunque lui, Francesco Maria Munafò, di Candido non fosse il padre. Era una pura follia: e non solo perché al momento in cui Candido era stato concepito il professor John H. Dykes stava al college di Helena, nel Montana; ma anche, e sopratutto, perché Maria Grazia mai aveva fatto all'amore (si dice per dire, come poi vedremo) con altro uomo che non fosse l'avvocato suo marito.

Ne vennero litigi continui che l'avvocato, non volendo nemmeno a se stesso confessarne l'oscura ragione, muoveva da pretesti futilissimi. E anche se salve furono sempre le apparenze – di fronte ad Amleto, agli altri amici e al generale – in casa Munafò non ci fu più pace. Maria Grazia chiamava suo marito «bifolco» e «mafioso», alludendo alle non lontane origini contadine e all'attività professionale non proprio cristallina; l'avvocato ricambiava chiamandola «civetta»: e ogni volta gli costava uno sforzo mentale, uno spasmodico controllo dei nervi, il dover sostituire la parola «civetta» alla parola «puttana» che gli zampillava su.

Della partenza e del ritorno di Amleto; e di quel che merita-
tamente toccò all'avvocato Munafò e immeritatamente a
Candido.

John H. Dykes partì subito dopo le feste natalizie,
che in casa Munafò furono, col contributo della sus-
sistenza militare americana, particolarmente dovi-
ziose di cibi e liquori.

Dalla partenza di Amleto, l'avvocato ebbe una
relativa serenità. Soltanto il guardare Candido, che
sempre più somigliava ad Amleto, lo agitava; e una
volta che Maria Grazia, con assoluta innocenza, in
un momento che col marito voleva pace e non guerra, disse: «Ma lo vedi come somiglia ad Amleto?»
l'avvocato sentì l'ala della pazzia sollevarlo, e cioè
fargli sollevare e tirare a sé con violenza un lembo
della tovaglia su cui piatti, bicchieri e posate erano
apparecchiati per il pranzo. L'azione improvvisa e
furiosa, il fracasso, lo scempio a terra di cocci, vino
e salse, diedero a Maria Grazia un momento di
ammutolito terrore. Poi venne un fiume di parole e
di lacrime. L'avvocato, che non poteva né voleva

spiegare la ragione del suo gesto, e d'altra parte si sentiva, sempre oscuramente, nel giusto per averlo fatto, e quindi in diritto di non chiedere scusa, scappò per due giorni in campagna. Al ritorno, la moglie era come corazzata di silenzio. Sgarbata ed irosa era invece, verso l'avvocato, la cameriera: fedele alleata sempre della signora.

L'impenetrabile silenzio si spiegava col fatto che Maria Grazia aveva preso una decisione: di lasciare quell'uomo che, ora se ne rendeva conto e se ne dava ragione, non aveva mai amato e gli appariva per di più preda di una follia che prima era riuscito a nascondere e che ora, senza più ritegno, godeva a manifestare. La torturava. E ne godeva.

Maria Grazia aveva ventiquattro anni e una gran voglia di essere amata, di amare, di divertirsi, di vedere il mondo. Si interrogò sul suo amore per Candido: non ne trovò tanto, nonostante la somiglianza con Amleto. Che lasciasse il bambino, nessuno degli amici e dei conoscenti glielo avrebbe perdonato: ma lei trovava sufficienti motivi per perdonarselo. Il trauma, per lei, della giornata in cui Candido era nato, di come era nato, agiva occultamente a non renderle drammatica la rinuncia, doloroso il distacco. Piuttosto, c'era da pensare al generale: che l'abbandonare lei quello che il codice chiamava «il tetto coniugale» non nuocesse alla fortuna cui il generale sembrava avviato nel partito dei cattolici. Bisognava fare le cose per bene: giudiziosamente servendosi del partito dei cattolici, dei preti, della Chiesa. Ci fosse stato in Italia il divorzio, Maria Grazia sempre avrebbe preferito liberarsi dal marito attraverso un processo di Sacra Rota, per quanto lungo e umiliante. Umiliante per tutto quello che, menzogna o verità, lei doveva dire del proprio corpo e far dire. E in questo caso (linea scelta da avvocati specializzati e da prelati in materia consumatissimi), che lei, appena toccata dal marito, si irrigidiva e poi veniva meno: sicché come su una morta il marito

20

sfogava il desiderio, quando ai primi approcci non gli veniva meno e si abbatteva. Il che cominciava a diventare perfettamente vero; a riscontro oggettivo, da parte del Munafò, di quella disperazione che follemente gli si era insinuata e che non più astrattamente ora, ma su un fatto, cresceva e di furore lo accecava. Se ne stava quasi sempre in campagna, l'avvocato; e Maria Grazia, più libera, tra avvocati e prelati, e sempre accompagnata dal generale, tesseva il processo di annullamento del matrimonio.

Durante l'assenza dell'avvocato, tornò, in licenza per due settimane, Amleto. Arrivò come un marito, come un vero marito, come il vero marito. Benché tra loro non ci fosse stato un contatto che andasse al di là della stretta di mano (più lunga e palpitante quella del congedo) e un'intesa che andasse al di là degli sguardi ora teneramente ridenti ora malinconicamente confidenti, quando Amleto rimise piede in casa Munafò, si abbracciarono, si baciarono sulle guance e poi, dopo un momento di luminosa esitazione, lungamente sulla bocca. Come in un film, pensò poi Maria Grazia: un film americano. E tutto avvenne così semplicemente, così naturalmente, che lo spogliarsi, il mettersi a letto, il fare all'amore fu nell'ordine delle cose, nell'ordine dell'esistere, dell'esser vivi. E così, per la prima volta, Maria Grazia seppe dell'amore. Con grande gioia anche della cameriera, anche se diversa di quella della signora: per la cameriera – Concetta di nome – la gioia principalmente consistendo nel fatto che finalmente, concretamente, l'avvocato Munafò lei poteva, almeno mentalmente, chiamarlo ad ogni momento *il cornuto*.

Nella stanza accanto, Candido seguiva il volo di putti e di rose dipinto sul soffitto. Quel soffitto era il suo universo. Era un bambino molto quieto.

Della solitudine dell'avvocato Munafò, e di quella di Candido.

Il processo per l'annullamento del matrimonio fu, come si prevedeva, lungo. L'esito era certo, e cioè che l'annullamento sarebbe stato sentenziato: ma i tempi per meticolosamente vagliare una materia così scabrosa e delicata, dovevano necessariamente esser lunghi. L'avvocato Munafò non faceva opposizione: verissimo che Maria Grazia non lo aveva mai amato (e a tal punto, ma lo pensava senza dirlo, da aver messo al mondo un figlio che somigliava all'uomo che avrebbe poi incontrato ed amato), verissimo che alle sue carezze si irrigidiva, le si invetravano gli occhi, perdeva vita. Sicché il processo filava dritto, nella sua inevitabile lungaggine.

Intanto, Maria Grazia si era trasferita dapprima in casa di suo padre, poi in altra città, dove, si disse, stava a pensione in un convento. In verità, passava da una città all'altra: secondo gli spostamenti di Amleto; ma nascostamente, per non compromettere l'esito del processo e per rispetto a colui che, di fronte alla legge, era ancora suo marito. Rispetto che gli era anche dovuto per come, di fronte alla Sacra Rota, stava comportandosi: correttamente, lealmente. Ormai, anche lui, non vedeva l'ora di liberarsi di quel legame: anche se intenzione di risposarsi non aveva ed aveva anzi acquistato una sorta di misoginia. Gli arrideva la solitudine, una solitudine suggellata anche da una sentenza pronunciata da un tribunale ecclesiastico e delibata (la parola «delibata», sempre professionalmente diletta, ora aveva per lui il sapore della libertà) da un tribunale dello stato italiano. Una sola complicazione: e veniva da Candido. Entrambi, marito e moglie, si tenevano in obbligo, e così li teneva la società in cui vivevano i parenti, gli amici, i preti e gli avvocati, di una terribile finzione: dovevano fingere, l'uno contro l'altra, di volerlo e di non essere lei disposta a cederlo a lui e lui a lei.

Ci fosse stato un re Salomone, a decidere se al padre o alla madre Candido doveva essere affidato, forse il povero bambino sarebbe stato tagliato a metà: tanta era l'ostinazione che padre e madre mostravano nel volerlo. Per fortuna di Candido, si era, al momento della decisione, nel novembre del 1945; e c'erano di mezzo un bonario giudice del regno d'Italia, avvocati, preti, il coro dei parenti e degli amici. E poi la decisione, tanto difficile a prenderla, era già presa fin dal punto che Maria Grazia aveva messo in movimento gli ingranaggi processuali: Candido doveva restare con suo padre, e per la principale ragione – da tutti riconosciuta come ragione, e anche dalle donne – che a una donna che osasse non rassegnarsi a restare fino alla morte con un marito che non amava e che non l'amava, a giusta misura una punizione spettasse. E quale migliore di questa: di privarla per sempre del figlio? Che poi, in effetti, le cose stessero in tutt'altro senso – punizione per il marito il tenersi Candido, una libertà in più per Maria Grazia il non averlo – non aveva importanza: importante era confermare una regola e non turbare le apparenze.

L'avvocato Munafò, in ordine alla regola e alle apparenze, si mostrò vendicativamente lieto, vendicativamente soddisfatto, di aver vinto la partita di tenersi Candido; e Maria Grazia dolorosamente sconfitta, per averla perduta. Il vero sconfitto era però l'avvocato: costretto a tenersi il figlio che non amava, che non riusciva a sentire come suo figlio, che inconfessabilmente, nel suo segreto furore, non chiamava Candido ma *l'americano*.

Sempre più roseo, sempre più biondo, tranquillo e sorridente, Candido non sentiva la più lieve puntura dal nido di spine in cui si trovava. Pareva potesse fare felicemente a meno di una madre e di un padre. Non poteva fare a meno, per i più vitali e immediati bisogni, di Concetta, che era rimasta delegata all'amor materno e al disprezzo verso l'avvocato Munafò; ma nemmeno verso Concetta dimostrava un attaccamento che andasse oltre l'utile del mangiare, del bere e di altri bisogni e il dilettevole del gioco a nascondersi che Concetta qualche volta gli faceva. Un gioco che, bisogna dire, dilettava Candido per non più di dieci minuti; poi se ne svogliava e tornava ai suoi: solitari, segreti. E consistevano – solo per approssimazione possiamo tentare di definirli – come in dei cruciverba che egli riusciva a fare con le cose. Come gli adulti fanno le parole incrociate, Candido faceva le cose incrociate. C'entravano anche le parole, e quasi sempre la prima o l'ultima sillaba delle parole: ma erano sopratutto le cose, il loro posto, l'uso che se ne faceva, il contorno, il colore, il peso, la consistenza, a sviluppare il gioco e a dargli, appunto, la piacevole difficoltà, il piacevole azzardo del gioco.

L'elogio supremo che Concetta usava fare di Candido, era questo: «è un bambino che dove lo mettono sta». Sapeva stare con gli altri bambini, a meno che non fossero violenti, e sapeva star solo, fermo anche per ore nei posti in cui Concetta lo lasciava. Aveva una innata gentilezza; ma, se di un bambino si può dire, molto formale. Bastava a se stesso, ecco tutto. Secondo Concetta – per sua parte nervosissima – era un bambino che non aveva nervi. «Non si direbbe» diceva «che è nato in quella notte d'inferno». Ma pensava anche che quella notte d'inferno l'avesse fatto nascere, se non proprio stupido, un po' tardo, un po' nella mente annebbiato. E quando pensava questo lo amava anche di più, lo chiamava *gioia mia, gesù bambino mio, figlio mio*. Candido rispondeva alle effusioni con un sorriso gentile che si faceva tollerante quando Concetta furiosamente lo sbaciucchiava. Non gli piaceva, essere sbaciucchiato; ma tollerava. Tollerava anche i baci del generale suo nonno, che gli davano un certo fastidio per la barba a pizzetto che il generale portava: la sola cosa non mutata nel vecchio eroe delle guerre fasciste diventato democristiano, repubblicano e, si capisce, antifascista.

Quando il tanto da fare che aveva con la politica gliene lasciava il tempo, il generale andava a trovare Candido o se lo faceva portare a casa da Concetta. Nonostante i biscotti col sesamo e l'uva passa, che gradiva, Candido si annoiava molto, in casa di suo nonno. Dal giorno, poi, che il generale, tra i tanti fucili che aveva appesi ne prese uno e, in giardino, gli fece vedere come si caricava e sparava, ogni volta che Concetta annunciava: «Ora andiamo da tuo nonno il generale» Candido fermamente diceva «no» e, se Concetta insisteva, gli occhi gli si riempivano di lacrime. Il che bastava a farla recedere. «No, gioia mia, non ci andiamo; se non vuoi andarci, non ci andiamo». E si domandava: «Ma che gli ha fatto, quel vecchiaccio?» poiché qualsiasi disgusto di Candido, anche il più gratuito o indecifrabile, lei lo dava senz'altro per giusto e lo assumeva come proprio.

Una volta, alle rimostranze che il generale fece per le visite di Candido che gli erano venute a mancare, Concetta fu costretta a dirgli che la decisione di non andare era di Candido, e irremovibile «Ma perché?» domandò il generale. «E che ne so io? Lei dovrebbe saperlo» rispose Concetta. Questa risposta mandò in bestia il generale, ma quando si calmò, ricordandosi dell'ultima volta che Candido gli era stato portato, e che gli aveva fatto vedere e sentire come spara un fucile, pronunciò su Candido la sdegnata sentenza: «È un coniglio».

*Di come Candido pervenne alla quasi piena condizione di
orfano; e del rischio che corse di trasmigrare a Helena, nel
Montana.*

A cinque anni, Candido sapeva quasi tutto dell'avvocato Munafò; e l'avvocato nulla sapeva di Candido, né gli importava di saperne qualcosa. Cibo, pulizia e giocattoli al bambino non mancavano. Che
altro si poteva pretendere da un padre che si asso-
migliava, per putatività se non santamente decoro-
samente sopportata, a Giuseppe figlio di Giacobbe
la cui moglie per virtù dello Spirito Santo aveva concepito così come Maria Grazia per virtù dello Spirito
Americano? Di rimproverarlo, non c'era mai stato
minimamente bisogno; e magari ce ne fosse stato,
pensava a volte, torvamente, l'avvocato. Di esortarlo
e di stuzzicarlo al nutrimento, nemmeno: il bambino
mangiava sempre con buon appetito ed era anzi giudiziosamente goloso. Di vietargli qualche gioco peri-
coloso, non si era mai verificato il caso: Candido
non ne amava. Di costringerlo a dormire nelle ore in
cui doveva dormire, mai accaduto che alle ore stabi-

lite Candido si rifiutasse e protestasse: e si addormentava appena posata la testa sul cuscino; «come un angelo», a dire di Concetta.

Candido, dunque, sapeva quasi tutto di suo padre; e cioè, tranne i pensieri, tutto quello che riguardava la professione, il reddito della professione e delle terre, i rapporti coi clienti, coi colleghi, coi giudici, coi fittavoli, coi braccianti. Lo sapeva così come i registratori del presidente Nixon sapevano tutto quello che il presidente Nixon diceva. Solo che Nixon sapeva dei registratori e l'avvocato Munafò non sapeva di Candido in ascolto: il che, agli effetti del disastro in cui entrambi incorsero, fa differenza per la constatazione che Munafò era meno imbecille di Nixon.

Aveva presa l'abitudine, Candido, di sgattaiolare nello studio di suo padre: ogni pomeriggio ad ora di vespro, quando in quella stanza arredata di pesanti mobili scuri, di scure poltrone di cuoio, di scuri tendaggi damascati, la luce, in ogni altra parte della casa violenta, assumeva un che di morbido, di vaporoso, di sonnolento. Candido si metteva dietro un grande divano e, sdraiato sullo spesso tappeto che copriva quasi tutto il pavimento, inesauribilmente esplorava le pitture del soffitto; e qualche volta gli avveniva, fissando ora una ora un'altra delle donne nude che lo trasvolavano, di sentire su di sé il sonno scendere come uno di quei veli azzurrini che le donne agitavano o il vento, e insomma di deliziosamente addormentarsi. I soffitti delle camere erano i suoi libri di testo: dai putti e dalle rose si era promosso alle donne nude e ai veli.

Quando gli accadeva di addormentarsi in quella leggerezza e dolcezza di velo da lassù amorosamente abbandonatogli da una delle donne, e quasi sempre da quella che era la sua preferita, si svegliava al momento che suo padre entrava, apriva le finestre, si metteva al tavolo. Se ne restava però immobile e silenzioso, in attesa che cominciassero ad arrivare i visitatori. Quando poi si annoiava, strisciando sulla pancia silenziosamente, riparato dai mobili allo sguardo di suo padre, valicava quella delle tre porte dello studio da cui mai nessuno entrava o usciva, come le altre nascosta dai pesanti tendaggi. Ma rare volte gli capitava di annoiarsi: gli piaceva quella specie di teatro invisibile, il dialogo, il diverso volume e timbro delle voci, il tono drammatico o implorante o persuasivo che assumevano, il siciliano dei contadini, l'italiano di suo padre. E non c'era, si capisce, ombra di malizia, in quell'ascoltare di nascosto: il suo starsene silenzioso e il suo allontanarsi strisciando erano soltanto gli accorgimenti di un gioco che faceva con se stesso.

Questo gioco di specie estetica o, un gradino più giù, sensuale, raramente accendeva in Candido interesse per i fatti che venivano esposti; anche perché quei fatti erano esposti male, incoerentemente; ed anche se esposti benissimo dai protagonisti o dai parenti loro, anche se chiaramente sintetizzati da suo padre, quasi sempre quei fatti restavano a Candido oscurissimi: per fortuna dell'avvocato Munafò e dei suoi clienti. Una fortuna che non poteva però durare; e infatti non durò.

Un pomeriggio, Candido si trovò ad ascoltare la confessione di un omicidio. Di quell'omicidio aveva sentito parlare da Concetta: con spavento, con esecrazione. Poi ne aveva sentito parlare dai suoi compagni dell'asilo, e specialmente dal figlio del tenente dei carabinieri, molto fiero del fatto che suo padre avesse arrestato l'assassino. Nello studio di suo padre, quel pomeriggio, apprese invece che non l'assassino il tenente aveva arrestato, ma uno che aveva sì le sue ragioni per ammazzare l'ammazzato, ma non così gravi, anche se coperte, anche se segrete, di quelle che aveva avuto colui che realmente lo aveva ammazzato. Candido non aveva nozione precisa dell'ammazzare, del morire, della morte. O meglio: ne aveva la stessa nozione di Concetta, e cioè

29

come di un viaggio, come del lasciare un luogo per andare in un altro. La confessione che quell'uomo fece a suo padre, per aver consiglio di come comportarsi nell'eventualità che l'innocenza dell'innocente venisse riconosciuta e che i sospetti dei carabinieri si abbattessero su di lui, impressionò Candido nel vagheggiamento dell'impressione che una simile rivelazione avrebbe prodotto sul figlio del tenente. Mise dunque bene a registro nella sua mente quella conversazione, e il nome dell'assassino. E puntualmente, l'indomani, ne fece rivelazione tra i compagni dell'asilo: e per dire al figlio del tenente che suo padre si era sbagliato. Di che, altrettanto puntualmente, il figlio del tenente fece rimprovero al padre: che gli faceva fare brutta figura coi compagni, arrestando innocenti invece che colpevoli.

Ne venne un finimondo. I carabinieri arrivarono in forza all'asilo, in presenza della direttrice e di alcune maestre si fecero raccontare da Candido tutto, e Candido tutto quello che nello studio di suo padre aveva sentito raccontò meticolosamente, e col piacere che gli veniva dal trovarsi tra tanti carabinieri che con piacere lo ascoltavano.

Quando uscì dall'asilo, come al solito trovò Concetta che lo aspettava; ma più brutta del solito, per il pianto che aveva fatto e che a stento tratteneva. Gli disse che suo padre era partito, e per un viaggio molto lungo. La notizia sarebbe stata accolta da Candido con la solita indifferenza – per la campagna, per Palermo, per Roma suo padre partiva sempre – se Concetta non avesse avuto quella faccia di pianto e non avesse aggiunto una frase che a Candido sembrò insensata e insieme spaventosa. «La lingua» disse Concetta «te la dovrei tagliare».

Della partenza di suo padre riuscì poi a sapere, ma confusamente, qualche particolare. Pareva (di preciso non lo seppe mai, e anzi non volle saperlo) che, andandosene i carabinieri, la direttrice dell'asilo si fosse premurata di far sapere all'avvocato

Munafò quel che ai carabinieri Candido aveva raccontato: e l'avvocato, sentendosi naufrago e nella professione e nelle regole in cui da uomo era fino a quel momento vissuto, aveva messo fine alla sua vita. Nell'andarsene, tentò un restauro delle regole che Candido, senza saperlo, gli aveva infranto: scrisse che si suicidava perché stanco, perché ammalato forse di cancro forse di nervi. Nobile menzogna che non salvò però da una condanna a ventisette anni il cliente di cui Candido aveva raccontato la confessione.

Intanto, quel giorno, Concetta portò Candido in casa del generale. E il bambino restò lì fino all'arrivo della madre; arrivo che segnò per Candido l'inizio di tutto un mese di tribolazioni, poiché sua madre era venuta credendo suo dovere il prendersi ora il figlio e portarselo a Helena, dove lei viveva come signora John H. Dykes.

A Candido quella donna, e cioè sua madre, piaceva. Gli pareva somigliasse a quella delle nude del soffitto che lui preferiva. E gli sarebbe piaciuto (Stendhal!) che tra lei e lui, quando se lo tirava in braccio e lo stringeva, i vestiti non ci fossero. Ma in quanto ad andare in America con lei, era tutt'altro discorso. Voleva restare con Concetta, e nella casa dai bei soffitti dipinti. I suoi pianti, e poi una sua fuga disperata (lo trovarono che vagava, affamato e lacero, nella campagna), convinsero sua madre a lasciarlo. Decisione, bisogna dire, che fu di sollievo anche per lei. Ma lasciandolo, al momento che Candido freddamente ricambiò i suoi baci, lei sussurrò a suo padre: «È un piccolo mostro». Pensiero che per sua parte il generale già nutriva.

Del pietoso biasimo di cui Candido fu oggetto da parte del generale, dei parenti e di quasi tutta la città; e del suo comportamento quando ne prese coscienza.

Un mese prima che l'avvocato Munafò si suicidasse, il generale era stato eletto al Parlamento Nazionale; e con tanti voti di preferenza, nella lista della Democrazia Cristiana, da superare ogni altro eletto nella Sicilia occidentale. Gli avversari avevano, agli inizi della campagna elettorale, tentato di attaccarlo sul suo passato di guerriero fascista: ma nella folla che ascoltava i comizi quegli attacchi producevano una certa ammirazione, nei riguardi del generale; e poi il generale aveva minacciato di contrattaccare recitando i nomi, le cariche e le prebende dei fascisti candidati in altre liste, di altri partiti: ed erano tanti. Il candidato locale del Partito Comunista era il barone Paolo di Sales che, come abbiamo detto, era stato aiutante di campo del generale nella guerra di Spagna: l'avversario più diretto, dunque, in quella campagna elettorale. Ma si comportarono entrambi con una discrezione e un'eleganza che arrivò persino a

32

reciproche attestazioni di rispetto, di stima: pubblicamente. E fu eletto anche il barone.

Al comizio di chiusura che fece il generale, Concetta, fanatica propagandista più del partito della croce di Cristo che del generale che in quel partito stava, volle assistesse anche Candido. Candido si annoiò e si disgustò: troppa gente, troppe voci, troppi fiati di avvinazzati; e più li sentiva, i fiati, per il fatto che tanta gente si sentiva in dovere di chinarsi su di lui, di accarezzarlo, di domandargli se era contento che il generale suo nonno diventasse deputato. Candido non sapeva che cosa fosse un deputato; e comunque se ne infischiava che suo nonno lo diventasse o no.

Una volta eletto, trionfo personale nel trionfo che in quel 18 aprile del 1948 ebbe il partito della Democrazia Cristiana, il generale sembrò ringiovanito. Già durante la campagna elettorale aveva cominciato a portare sull'occhio perduto una benda nera: che ora, così ringiovanito dal successo elettorale, gli dava un'aria piratesca e rapace che faceva fascino sulle *dame del Sacro Cuore*, le *orsoline* e le *figlie di Maria*. Nella sua rinnovata sicurezza e baldanza, quando parlava del suo ex genero (doppiamente ex: per Sacra Rota e per morte), il generale diceva: «È stato un cretino: fosse venuto subito da me, avrei accomodato tutto». E se gli avveniva di dirlo che Candido era presente, gli colava sopra uno sguardo di disprezzo e insieme di commiserazione.

Con lo stesso sentimento lo guardavano tutti gli altri parenti, e quelli di parte paterna dando meno nella commiserazione; e così, quando lo incontravano, i signori che erano stati amici di suo padre e le signore che erano state amiche di sua madre. Soltanto Concetta, dopo quella frase che le era sfuggita sul dovere di tagliargli la lingua, lo guardava senz'ombra di biasimo e con abbondante e lacrimosa pietà. E, per la verità, a Candido dava più fastidio l'integrale pietà di Concetta che l'ambiguo sentimento di tutti gli altri. Tutti, insomma, chi più chi meno, gli davano fastidio e disagio: ma Concetta più di tutti. Si diede dunque ad osservarla, a studiarla. Si avvide così che Concetta aveva mutato radicalmente sentimento nei riguardi del defunto avvocato Munafò e che al nuovo sentimento, quasi un culto, si accompagnava il rimorso per averne nutrito uno di rancore e di dileggio. Contemporaneamente, era mutato il suo sentimento nei riguardi della signora Maria Grazia. E questo Candido non poteva né saperlo né indovinarlo: ma l'insulto di *cornuto*, che tante volte Concetta mentalmente aveva elargito all'avvocato, ora si era mutato in quello di *puttana*, con la stessa frequenza elargito all'assente signora Maria Grazia. Di questo mutato sentimento, l'avvocato venne a ringraziarla apparendole in sogno; e le chiese, con l'occasione, di fargli cantare qualche messa poiché, disse, là dove stava lo davano e lo lasciavano come dimenticato.

Concetta raccontò a Candido della richiesta e tacque dei ringraziamenti. Gli partecipò anche la sua deduzione e convinzione che l'avvocato stesse in purgatorio: ché uno che sta all'inferno che se ne fa, delle messe? E da quel momento le messe fioccarono, a refrigerare quel luogo del purgatorio in cui l'avvocato se ne stava: e ad ognuna, nella chiesa parata a lutto, assistevano, compuntamente e freneticamente pregando, Concetta; meno compuntamente, e anzi con molta noia e distrazione, Candido. E proprio durante una di queste messe, a Candido avvenne di scoprire, un pensiero dietro l'altro, che la morte è terribile non per il non esserci più ma, al contrario, per l'esserci ancora e in balìa dei mutevoli ricordi, dei mutevoli sentimenti, dei mutevoli pensieri di coloro che restavano: così come suo padre nei ricordi, nei sentimenti e nei pensieri di Concetta. Doveva essere una fatica, per il morto, aggirarsi ancora in quello che i vivi ricordavano, sentivano e pensavano; e persino in quello che sognavano. Nella immaginazione di Candido, era come una specie di

34

violento richiamo, un fischio cui corrispondeva una corsa, un bolso e ansante arrivare. Quella che Concetta chiamava *l'altra vita*, era propriamente una vita da cani.

Per suo conto, Candido pochissimo disturbava suo padre *nell'altra vita* (che, per la verità, riteneva piuttosto improbabile ci fosse): solo per quel tanto che, ricordandolo, gli serviva a capire per quale ragione gli altri guardassero lui con biasimo e con pietà insieme. Per la pietà, ci arrivò subito. O meglio: credette di esserci arrivato constatando, a scuola, che un altro bambino privo di genitori e che viveva con i nonni era trattato allo stesso modo. In realtà, e se ne accorse dopo, la pietà di cui lo toccavano era diversa, complicata dalla preoccupazione di quel che gli sarebbe accaduto dentro quando, presto o tardi, avrebbe avuto la rivelazione che suo padre era morto perché lui aveva detto una cosa che non doveva dire. Per il biasimo, gli ci volle una interrogazione più lunga nel tempo e difficoltosa. Osservando Concetta e a volte provocandola; ritenendo nella memoria e lavorandoci su tutto quello che il nonno, i parenti e i conoscenti dicevano di suo padre; riepilogando i ricordi che gli erano rimasti dei pomeriggi passati nello studio, sdraiato sul tappeto e nascosto dal divano; giustapponendo ogni elemento come in quel *puzzle* di bel legno che gli avevano regalato e di cui amava – alla vista, al tatto, all'odore – i singoli pezzi più della costruzione che si poteva mettere su, alla fine Candido arrivò a un'immagine che non era ancora un giudizio né era così netta come noi la presentiamo: l'immagine di suo padre come quella di un uomo che tira il conto di tutta la sua vita e la somma gli viene giusta per tirarsi un colpo di pistola. Immagine che innocentemente gli si era cristallizzata dai tanti conti che aveva visto fare a suo padre; ma al generale, a Concetta e a tutti gli altri sarebbe apparsa generata dal più incredibile e mostruoso cinismo.

Ma, pur non sapendo Concetta di questa immagine, verso i dieci anni Candido cominciò a rivelarsi come mostro anche a lei così come a cinque si era rivelato a sua madre e a suo nonno. Un mostro cui, dal punto di vista di Concetta, si doveva più amore che se fosse stato *come tutti gli altri bambini*. Candido non aveva alcun culto per il padre morto, non domandava notizie della madre viva, non era affezionato al nonno e se ne infischiava anche di lei. Per di più, diceva cose che la facevano rabbrividire; e le diceva in un modo che aveva del diabolico: ridendo stridulo e adattandovi musica. E così una volta le disse: «Tu non me lo vuoi dire, ma lo so che ho ammazzato mio padre». E girò via di corsa, proprio come un diavolo: ché secondo Concetta i diavoli sempre come puledri correvano, parlavano in musica e ridevano come affilassero coltelli.

Della preoccupazione del generale e di Concetta per l'edu-
cazione di Candido; e della decisione del generale di dar-
gli, come in antico, un precettore.

Della diabolicità di cui dava segni Candido, Concetta più volte decise di parlarne col generale; ma
ogni volta rimandava con la scusa o che trovava il
generale indaffarato o che le pareva non fosse in
grado di capire o che bisognava aspettare ancora
una settimana o due per vedere se Candido miglio-
rasse. In verità, Concetta aveva paura che il generale
decidesse di mandare Candido in un convitto. Diavolo o no, che cosa sarebbe stata la sua vita senza
Candido?

Invece che al generale, andò a parlarne all'arciprete. E l'arciprete, nonostante le raccomandazioni
di Concetta, ne parlò al generale; ma non nei termini, si capisce, in cui Concetta ne aveva parlato a lui.
La storia dello spirito diabolico che si fosse insediato
nel bambino, da un lato lo faceva ridere, da un altro
lato lo preoccupava. Lo preoccupava, cioè, il fatto
che il bambino si trovasse a vivere con una donna

ignorante, superstiziosa e piena di superstiziosi terrori come Concetta. Forse quel che a Concetta appariva diabolico, altro non era che una sana difesa, una sana ribellione di Candido contro il funebre zelo religioso, il continuo e meticoloso culto dei morti e della morte, le oscure credenze e penitenze di lei.

L'arciprete era considerato, e si considerava, *moderno*. Si applicava molto alla psicologia; ma nascondendo in questa parola l'altra che bisognava pronunciare allora cautamente e con molte riserve: psicanalisi. Aveva scritto anzi un trattato di *psicologia morale*, e cioè di psicanalisi, che stava, in un bene ordinato manoscritto, come incagliato tra gli scogli, in vescovado: in attesa dell'*imprimatur*. Gli scogli dell'indecisione del vescovo tra il negarlo e il concederlo, ma con più propensione a negarlo: ché non solo aveva intravisto dietro la parola psicologia la parola psicanalisi, ma gli pareva eccessiva e rivoluzionaria la teoria, sottilmente propugnata, che la Chiesa dovesse riconoscere e assumere la psicologia, e cioè la psicanalisi, come sostanziale, quasi connaturato e irrinunciabile elemento del ministero, del servizio ecclesiale; da non lasciare perciò in mani laiche. E si poteva, non lasciare in mani laiche, mediante una specie di «golpe» spirituale: l'impartizione del diaconato, volenti o no, a tutti coloro che nel mondo cattolico esercitassero professione di psicologi, e cioè di psicanalisti. Del resto, teologicamente parlando, la figura del diacono aveva contorni così incerti, così indefiniti...

Da queste inclinazioni, da questi studi dell'arciprete Lepanto, si può facilmente arguire quanto il caso di Candido, per come Concetta l'aveva prospettato, suscitasse il suo interesse. Ne parlò dunque al generale: e il generale gli confessò che era preoccupato anche lui, di come quel bambino cresceva, degli strani pensieri che aveva. L'arciprete si offrì di occuparsene: che glielo mandassero come a doposcuola,

lo avrebbe aiutato nei compiti e, contemporaneamente, lo avrebbe osservato, studiato, analizzato.

Candido cominciò a frequentare l'arciprete di
buona voglia. Lo divertiva molto lo scoprire poco a
poco, un colloquio dopo l'altro, com'era fatto un
prete: quest'uomo misterioso, chiuso nella sua lunga
veste nera, che mettendosi addosso trine e damaschi
ecco che faceva diventare l'ostia corpo di Cristo e
otteneva che un morto salisse dal purgatorio al paradiso (poteri di cui, secondo Concetta, era bestemmia
dubitare; ma Candido ne dubitava). Chiuso nello
scafandro dei suoi schemi e della sua cabala, l'arciprete si sentiva come un pescatore subacqueo intento a spiare, a sorprendere, a infilzare le immagini e
i pensieri di Candido che più probanti risultassero
agli effetti di quegli schemi, di quella cabala. In realtà, era Candido che spiava e analizzava l'arciprete.

Fisicamente, Candido aveva qualcosa di gattesco:
un che di morbido, di vellutato, di indolente; un
guardare sonnacchioso e svagato che a momenti si
restringeva e si accendeva di attenzione; un muoversi lento e silenzioso che a volte diventava, sempre
silenziosamente, scattante. E così nella mente: pieno
di fantasie, divagante ed estravagante; ma sempre in
agguato. E peraltro gli piaceva, assomigliarsi a un
gatto: per la libertà che sapeva di avere, per il nessun legame con le persone che gli stavano intorno,
per la capacità di bastare a se stesso. Il solo legame,
anzi, che sentisse di avere, era appunto col gatto di
casa: un bel gatto grigio che aveva la stessa sua età e
quindi, essendo gatto, l'età di suo nonno. E infatti,
dal momento che apprese della misura di vita dei
gatti, così lo chiamava: nonno. Cosa che il generale,
quando casualmente ne seppe, prese in malaparte
tanto da scriverne alla figlia. «Chiama nonno il gatto», le scrisse. E la figlia, scherzando: «Te l'ho detto: è un piccolo mostro».

Che fosse un piccolo mostro, ad un certo punto se
ne convinse anche l'arciprete. Reciprocamente ana-

lizzandosi, nulla aveva scoperto l'arciprete che vales-
se per una diagnosi e per una conseguente terapia;
mentre Candido aveva scoperto che l'arciprete aveva una specie di idea fissa, piuttosto complicata ma
approssimativamente riducibile a questi termini:
che tutti i bambini uccidono il loro padre, e qualcuno, qualche volta, anche il Padre Nostro che è nei
Cieli; solo che non è una uccisione vera e propria,
ma come un gioco in cui al posto delle cose ci sono i
nomi e al posto dei fatti le intenzioni; un gioco,
insomma, come la messa. Che l'arciprete pensasse
questo di tutti i bambini, a Candido dispiaceva più
per l'arciprete stesso che per i bambini. Che poi lo
pensasse di lui, gli parve bisognasse disingannarlo: e
pazientemente. In tutti i modi gli fece capire, e a
volte glielo disse chiaramente, che sì, poteva darsi
che tutti i bambini uccidessero il padre e il Padre
Nostro che è nei Cieli: ma lui, Candido, sicuramente
no; non aveva ucciso suo padre e nulla sapeva, né
voleva sapere, di quell'altro Padre.

Questo atteggiamento di Candido sconvolgeva
l'arciprete e gli dava una crisi di coscienza. Perché
Candido, secondo l'arciprete, suo padre l'aveva ucciso davvero: e dunque bisognava o convincerlo che
l'aveva ucciso o lasciarlo in quella sua proterva innocenza. Terribile problema; della specie di quello in
cui si trovò quel tale, nel racconto di uno scrittore
americano, che volendo verificare quella enuncia-
zione del calcolo delle probabilità espressa nell'e-
sempio delle dodici scimmie che picchiano a casaccio
su dodici macchine da scrivere e alla fine scrivono
tutte le opere della Biblioteca del Congresso, avendo
comprato dodici scimmie e dodici macchine, ecco
che subito, e non *alla fine*, le scimmie riproducono
Dante, Shakespeare e Dickens: sicché non gli resta
che ammazzarle tutte e dodici. Per veramente uscire
dal problema, l'arciprete avrebbe dovuto ammazzare Candido: pensiero che, bisogna dirlo a suo onore,
non gli venne. E ci restò dentro, dunque, senza mai

decidersi a risolverlo. Ma d'altra parte nemmeno Candido riusciva a risolvere il suo nei riguardi dell'arciprete.

Così per anni di fronte, un tavolo in mezzo su cui stavano un Crocifisso di bronzo, un calamaio di peltro, gli Atti degli Apostoli e le opere di Freud e di Jung, stettero a scrutarsi, a spiarsi. Parlavano di tante cose, ma sempre, entrambi, con quel pensiero. E arrivarono così a volersi bene, al di là dei padri e del Padre Nostro.

Delle cose di cui Candido e l'arciprete discorrevano; e del fastidio che ne ebbe il generale.

Dei compiti di scuola Candido si liberava rapidamente: a casa, da solo. L'arciprete raramente vi trovava qualche errore; e quando gli avveniva di trovarlo, la prontezza di Candido a riconoscerlo e a correggerlo lo dispensava da ogni spiegazione. Sicché, subito esaurita la parte scolastica, parlavano d'altro: e cioè, senza che l'arciprete se ne accorgesse, delle cose di cui Candido voleva che si parlasse.

Parlavano di Concetta e del generale; e l'arciprete parlava di sé, della sua infanzia povera in un mondo povero, di sua madre, di suo padre, della sua adolescenza e giovinezza nel Seminario Vescovile del capoluogo, del giorno in cui era stato ordinato sacerdote e della festa con cui nel paese era stato accolto. Di Concetta e del generale parlavano come di due temi che dessero fondo a tutto: a tutto che fosse, nella vita umana, errore, stoltezza, follia. Candido si era fatta, dei due, un'immagine fantastica: come fossero avvolti e nascosti da funebri rampican-

42

ti. L'immagine gli veniva dall'edera che aveva coperto le rovine dell'antica chiesa del cimitero: e voleva vedere le rovine che si nascondevano in Concetta, nel generale. L'arciprete parlava volentieri di Concetta, poiché i tanti cattolici come Concetta erano ragione della sua preoccupazione di sacerdote; una preoccupazione che a volte arrivava alla disperazione. Era però restio a parlare del generale. Constatato che in Candido il generale non aveva sostituito il padre, così come Concetta non aveva sostituito la madre, piuttosto che del generale avrebbe preferito parlare col ragazzo della madre lontana, sposata ad un uomo che Candido non conosceva e madre di due altri figli a Candido ugualmente sconosciuti. Ma per Candido sua madre, l'uomo che aveva sposato, i due fratelli americani erano così lontani che raramente ci pensava; e le volte che gli avveniva di pensarci, sentiva una vaga curiosità per quella loro vita lontana e certamente diversa, mai un sentimento che assomigliasse alla privazione, all'invidia, alla molestia. Si può addirittura dire che ci pensava senz'alcun sentimento; e a tal punto che, quando cominciò a saper scrivere e l'arciprete, per suggerimento del generale, lo sollecitò a scrivere una letterina a sua madre, soltanto per gentilezza verso l'arciprete non disse di no. La lettera cominciava: «Cara signora», e seccamente informava che stavano tutti bene: lui, Concetta, il gatto, il generale e l'arciprete. Leggendola, l'arciprete dapprima un po' si incollerì; poi ai lumi della sua scienza la contemplò e godette. «Ma come: chiami la tua mamma *cara signora?*». Pazientemente, Candido la riscrisse: con la sola variante di «cara mamma». Ma la cosa non finì lì: l'appetito dell'arciprete ne era stato stuzzicato; e diventò fame quando Candido gli parlò della donna nuda del soffitto: e gli pareva, disse, di scrivere come per finzione e gioco a una donna che esisteva soltanto in quella pittura. L'arciprete pensò: «ecco, per respingere sua madre, per condannarla di averlo lasciato, l'ha identificata con la donna nuda del soffitto: perché la mamma, nell'idea che lui ha della mamma e nell'idea che ha della nudità, non può essere nuda». Si adoperò dunque a distogliere Candido da quella identificazione su cui si era fissato, ma Candido insistette tanto a dire che l'immagine di sua madre stava lì, a trasvolare il soffitto, che l'arciprete volle vederla.

Ne ebbe un piccolo colpo. Il fatto che la donna dipinta davvero somigliasse tanto alla signora Maria Grazia da far pensare che proprio lei avesse posato nuda per il pittore (fatto impossibile, poiché in un angolo del soffitto, sotto la firma del pittore, era segnato l'anno 1904), provocò nell'arciprete un certo turbamento: nella sfera – delicata, traslucida e tenuta accuratamente sommersa – dei sensi. Che identificando sua madre in quella donna nuda agisse in Candido l'oscura volontà di degradarla, non si poteva scandagliare, da quel che Candido candidamente diceva: la contemplazione di quel corpo, cui di tanto in tanto si abbandonava, era come di un desiderio depurato da ogni istinto, da ogni sentimento, persino dal desiderio stesso: propriamente un idillio, un momento di accordo col mondo, un momento dell'armonia. L'arciprete avvertì invece in sé come il sorgere di una strana e insana passione. Decise dunque di non parlare più a Candido di sua madre: e con un certo sollievo da parte di Candido, anche se a momenti gli veniva la curiosità di capire perché l'arciprete non ne parlasse più. E il sollievo veniva sì dal fatto che non si toccasse più un argomento per lui doloroso: solo che il dolore stava per lui nel ricordo (e nella minaccia che sentiva sempre incombente) di quando sua madre era venuta per portarlo con sé in America.

Parlavano dunque di Concetta e del generale; e l'arciprete di se stesso, accortamente sollecitato da Candido. E non che Candido sapesse di essere tanto accorto; si sentiva soltanto, senza malizia e senza colpa, curioso: di una curiosità che considerava simile a quella per cui si applicava a conoscere, per come la scuola voleva, i fatti del passato, i climi e i prodotti di terre lontane, i tre regni della natura (divisione, questa della natura in tre regni, che non gli pareva naturale); o a risolvere un problema di aritmetica. Ecco: le persone a lui vicine erano come dei problemi; e voleva risolverli, anche per liberarsene così come, risolvendoli, si liberava dei problemi che gli assegnavano a scuola. E di queste persone, di questi problemi, il più importante divenne per lui, a un certo punto, il generale. E cioè il fascismo. E cioè quel passato sulla cui linea di confine col presente lui, precisamente, era nato.

Questa linea, secondo quel che si diceva nelle feste nazionali, e specialmente in quella del 25 aprile che ricordava la liberazione dell'Italia tutta dal fascismo, aveva come separato le tenebre dalla luce, la notte dal giorno; e trovandosi il generale di mezzo, lo aveva dunque dimezzato. E ne era prova, per Candido, quell'occhio abbuiato dalla benda, che apparteneva alla metà di suo nonno rimasta nelle tenebre. E il problema più immediato era questo, per Candido: poteva un uomo così dimezzato vivere con tutta quell'energia e felicità che il generale dimostrava? Perché non c'era dubbio: per metà suo nonno continuava a vivere (o a morire, se il fascismo era morte) nel suo passato. Lo dicevano tutte le reliquie che si teneva in camera da letto: bandierine a triangolo di seta marezzata, nere da un lato tricolori dall'altro, orlate di frange d'oro, medaglie, fotografie con dedica di Mussolini, di Badoglio, del generalissimo Franco (quando il generale diceva «el generalisimo», Candido aveva l'impressione che sulle prime sillabe schiacciasse e sulle altre assaporasse un cioccolatino al liquore).

Posto all'arciprete, il problema aveva questa soluzione: in gioventù il generale aveva sbagliato, aveva continuato a sbagliare per vent'anni; ma poiché quell'errore gli era costato grandi sacrifici, non ultimo quello di perdere un occhio, ecco che si teneva care le ricevute che la patria e il fascismo gli avevano rilasciato di quei sacrifici. Ma prospettata al generale, questa indulgente soluzione gli suscitò una terribile collera. «Non ho sbagliato, non ho mai sbagliato» urlò; e attaccò una tirata sul fascismo che possiamo così riassumere: grande era stato il fascismo, piccoli e vili gli italiani (tranne, si capisce, il generale Cressi e pochi altri). E quando gli mancò il fiato Candido tranquillamente disse: «Me l'ha detto l'arciprete, che hai sbagliato allora». Se glielo avesse detto prima, il generale sarebbe stato più prudente: e per il fatto che tanti di quei voti che l'avevano mandato in Parlamento gli venivano dall'arciprete. Ora rimangiarsi la tirata non poteva. Vampando di silenziosa collera, passeggiò freneticamente avanti e indietro. Candido approfittò di quel silenzio per domandare placidamente: «Hai sbagliato allora o stai sbagliando ora?». E il generale, fermandoglisi davanti e visibilmente frenandosi dal mollargli un paio di schiaffi: «Ma che sbagliare, verme che sei! È la stessa cosa» e uscì di furia dalla stanza.

Più che per l'essere stato chiamato verme, Candido fu colpito dalla misteriosa affermazione «è la stessa cosa». La stessa cosa che: il passato e il presente, il fascismo e l'antifascismo? Ne domandò lumi all'arciprete, riferendogli parola per parola quel che suo nonno aveva detto.

L'arciprete molto se ne inquietò. Non diede soddisfazione a Candido, disse che avrebbe parlato col generale; ma si vedeva che si era arrabbiato, che si rodeva.

Parlò col generale, infatti. E fu uno scontro, a giudicare dalle conseguenze che quel colloquio ebbe su Candido. Il generale non solo tornò a chiamarlo verme, verme strisciante, verme immondo; ma anche spia, spione, delatore, traditore dei congiunti, fin dalla nascita spia e traditore. Candido se ne stette quieto, sotto quella grandine. Un po' si turbò quando il generale minacciò di toglierlo al doposcuola dell'arciprete.

Del potere che Candido non sapeva di avere sul prossimo
più prossimo; e delle sue impressioni e azioni quando seppe
di averlo.

Candido era ricco: di quel che gli aveva lasciato
suo padre oltre che della dote di sua madre che,
negli accordi seguiti all'annullamento del matrimonio, era passata a lui per atto di graziosa donazione.
Di questa ricchezza il generale era legale tutore.
Tutore di Candido, nella dicitura ufficiale; dei beni
di Candido, negli affetti e negli effetti. E non che il
generale si desse a rodere quei beni e quei redditi,
ne era anzi scrupoloso amministratore: ma ne riceveva, o credeva di riceverne, un potere che gli serviva, nel suo fare politica. Sui contadini che lavoravano nelle terre di Candido, sui pecorai, sui bovari.
D'altra parte, bisogna dire, non poteva nemmeno
tentare di derubare il nipote: fratelli e sorelle del
padre di Candido avevano cercato di ottenere la
tutela di quei beni, pur non tenendo a tutelare quel
figlio del loro fratello che della morte del loro fratello era stato causa. Non avendola ottenuta, stavano

in agguato: pronti a colpire il generale, se minimamente avesse mancato. E avevano anche tentato, e tentavano, di attirare Candido nell'orbita di un affetto che fingevano intenso e sofferente: solo che Candido, mostro anche per loro, non se ne dava inteso, da mostro che era. Ma il generale ugualmente temeva l'alleanza di Candido coi parenti del versante paterno: il che dava a Candido un potere sul generale.

La minaccia di toglierlo dal doposcuola dell'arciprete Lepanto era dunque impossibile da realizzare, se Candido si fosse decisamente opposto. Come decisamente si oppose dopo le elezioni del 1953, quando il generale riuscì di nuovo eletto, ma al decimo posto. La ragione della caduta era stata, secondo il generale, l'ostilità dell'arciprete nei suoi riguardi: ostilità dovuta alla delazione di Candido e allo scontro che c'era poi stato tra lui e l'arciprete.

Dal primo posto nelle elezioni del 1948, a vedersi digradato al decimo in quelle del 1953, il generale schiumava di collera. Il giorno che si seppero i risultati, a vedersi comparire davanti il nipote come sempre tranquillo e sorridente, ebbe una vera e propria crisi di nervi. Lo insultò in nome della lealtà, dell'omertà, dell'amore alla famiglia che lui rappresentava e che Candido non conosceva né, da verme qual era, avrebbe mai conosciuto; insultò l'arciprete in nome di altre virtù quali il lavoro, la castità, la fedeltà e l'anticomunismo, virtù all'arciprete ignote. E a questo punto Concetta, presente alla scenata, insorse. Per gli insulti a Candido, benché li disapprovasse, poteva anche essere d'accordo: Candido era incapace di osservare le regole del giusto vivere. Ma quegli insulti all'arciprete il generale non doveva permettersi di pronunciarli; e specialmente quelli che ne toccavano la castità, universalmente nota.

Il generale le si piantò davanti, le puntò l'indice accusatorio sul petto, sulla coscienza, e gridando le domandò: «Per chi hai votato, per chi ti ha fatto votare quel mascalzone?» Concetta fieramente rispose: «Per la santa croce ho votato, come sempre». Ma il generale incalzò: «E il mio numero, l'hai votato? Dimmi la verità, sui tuoi morti devi dirmela: il mio numero l'hai votato?» Concetta si smarrì, farfugliò: «Questo lo sa la mia coscienza, e nessuno ha il diritto di domandarmelo». E il generale, dolorosamente trionfante: «Non hai votato per me, lo so, con certezza lo so». E facendosi indulgente e persino affettuoso: «Ma io non me la prendo, del resto sono stato eletto lo stesso... Una cosa sola vorrei sapere: che cosa ti ha detto l'arciprete per non farti votare per me?». Concetta rispose: «Questo resta sotto il sigillo della confessione» non accorgendosi di star rompendo proprio quel sigillo. Il generale si fece agro e beffardo «Il sigillo della confessione! Cretina, e non capisci che già me l'hai detto che è stato lui a non farti votare per me? Il sigillo...» e qui diede nell'osceno, alludendo al sesso inconsolato di Concetta; inconsolato anche da parte dell'arciprete, nonostante il tanto amore di Concetta.

Concetta mise le mani sulle orecchie di Candido, che non sentisse le sconcezze di suo nonno; poi diede al generale il giusto colpo. «Uno che parla così davanti a un bambino, non può esserne il tutore». Nella sua rabbia, il generale si lasciò ancora andare: «Parlo come mi pare; e tu» rivolgendosi a Candido «da oggi in poi non vai più da quel mascalzone». Ma quando Concetta e Candido se ne andarono, le parole minacciose della donna gli cominciarono a girare nella testa e lo calmarono.

Intanto, andando a casa, Concetta, esasperata com'era, ruppe del tutto il sigillo della confessione. Raccontò a Candido quel che l'arciprete le aveva detto, riguardo alla votazione. «Se proprio vuol votare Democrazia Cristiana, scelga delle persone che un po' cristiane siano». Concetta aveva domandato se il generale un po' cristiano era; e l'arciprete aveva risposto: «Non direi». Queste due parole avevano generato in lei inquietudine, perplessità, indecisione. Non aveva votato per il generale, ma con un certo rimorso. Ora se ne era liberata, si approvava ed approvava l'arciprete: «Aveva ragione, oh se aveva ragione!». E finito lo sfogo, diventato ormai il suo odio per il generale freddo e duro come un diamante, fece a Candido l'inventario del patrimonio, gli rivelò il potere che aveva sul generale, lo esortò a resistere e a continuare ad andare dall'arciprete.

Dell'esortazione Candido non aveva bisogno: era deciso a continuare il suo doposcuola dall'arciprete. Ora però sapeva che la sua decisione poteva mantenerla su un potere che aveva e che fino a quel momento aveva ignorato di avere. Mai aveva pensato che un uomo potesse avere su un altro un potere che venisse dal denaro, dalle terre, dalle pecore, dai buoi. E tanto meno che un potere simile potesse averlo lui. Quando fu a casa, solo nella sua stanza, pianse: non sapeva se di gioia o di angoscia. Poi andò dall'arciprete a raccontargli tutto, anche il pianto che, senza sapere perché, lo aveva assalito.

Fu la prima volta che restò a colazione dall'arciprete. E come quel giorno aveva avuto la rivelazione di essere ricco, ebbe pure la rivelazione che l'arciprete era povero.

Restarono a parlare finché fu sera, finché nella stanza buia, divisi da quel tavolo, furono divisi anche dall'ombra; ma non propriamente divisi, poiché le loro voci avevano acquistato un diverso afflato, il loro parlarsi una nuova fraternità. La ricchezza, la povertà. Il male, il bene. L'avere un potere, il non averne. Il fascismo dentro di noi, il fascismo fuori di noi. «Tutto quello che vogliamo combattere fuori di noi» disse l'arciprete «è dentro di noi; e dentro di noi bisogna prima cercarlo e combatterlo... La ricchezza io l'ho desiderata tanto che persino il mio voler essere prete veniva da quel desiderio: la ricchezza della Chiesa, la ricchezza delle chiese; i marmi, gli stucchi, le dorature, gli argenti cesellati, i damaschi, le sete, i pesanti ricami a fili d'oro e d'argento... Non conoscevo che chiese barocche, barocche in tutto: tu entri per sentire la messa, per pregare, per confessarti; e sei entrato invece nel ventre della ricchezza... Ma la ricchezza è morta ma bella, bella ma morta: l'ha detto qualcuno, forse non precisamente in questi termini. E credo che gli uomini che sanno qualcosa di sé, che vivono e si vedono vivere, si dividano in due grandi categorie: quelli che sanno che la ricchezza è morta ma bella e quelli che sanno che è bella ma morta. Tutto sta nel ruotare di due parole intorno a un "ma"... Per me è ancora bella ma sempre più morta, sempre più morte. Ma il problema è se si può mai arrivare ad un punto in cui questa morte non ci tenti più, un punto da cui si riesca a separare la bellezza dalla morte... Forse non c'è: ma bisogna cercarlo». Misterioso discorso, per Candido; ma di un mistero che aveva a che fare con la verità, una verità così luminosa e sospesa che gli pareva si sarebbe dissolta se, per esempio, si fosse attentato a domandare che cosa fosse una chiesa barocca.

L'arciprete era molto cambiato, nei tre anni che erano passati da quando Candido aveva cominciato a frequentarlo. Il generale si doleva che avesse sconsigliato alle penitenti di votarlo; tanti altri si dolevano che delle elezioni non si fosse curato come nel 1948, che avesse anzi seminato dubbio e incertezza tra i cattolici. Per di più, continuava a sposare in chiesa i comunisti, a battezzare i loro figli, a tollerare che ci fossero bandiere rosse nei funerali: nonostante i comunisti fossero da considerare scomunicati. Molto, molto cambiato: al punto che non pensava più a sollecitare che l'*imprimatur* del vescovo scendesse su quel suo trattato di psicologia morale. Candido si accorgeva del cambiamento: lo vedeva diventare meno attivo, più stanco, più assorto, più indifferente. Ma non si rendeva conto che questo cambiamento in parte era dovuto a lui, alla diversa responsabilità che l'arciprete, per sé e per lui, lentamente, inavvertitamente, era venuto assumendo di fronte alla vita: diversa rispetto a quella che prima sentiva nel suo ministero. Più umana, più diretta, più apprensiva e continua.

Quella sera, comunque, la travagliata decisione di entrambi fu questa: che non si poteva impedire al generale di temere che Candido mutasse fronte, che si rivolgesse ai parenti di parte paterna per essere meglio tutelato avvalendosi anche della protezione dell'arciprete e della ormai fiera inimicizia di Concetta verso il generale; ma che Candido nulla avrebbe fatto o minacciato per alimentare in suo nonno un tale timore. Ipocrita decisione – commentò l'arciprete – ma che riduceva al minimo la maledizione del potere per chi, come Candido, ormai sapeva di averlo.

Del misterioso delitto di cui Candido e l'arciprete si trova-
rono a scoprire l'autore; e della condanna che entrambi ne
ebbero da tutta la città, e l'arciprete anche dalla gerarchia.

Un parroco, della chiesa più nuova della città, nel
quartiere più nuovo, era stato ucciso: in sacrestia,
poco dopo che le campane di quella chiesa avevano
suonato l'avemaria, non si sapeva da chi, non si
intravedeva nessun motivo di vendetta o di furto.
Nella chiesa non c'era nulla da rubare o pochissimo;
e nulla mancava. E il parroco, al di là dei soliti traf-
fici elettorali, nulla pareva potere aver fatto da
muovere qualcuno ad ucciderlo. Polizia e carabinieri
annaspavano. Il vescovo scrisse un'accorata lettera
all'arciprete: e si augurava che un così feroce crimi-
ne, su un sacerdote della Chiesa di Cristo, non
restasse impunito.

Dal capoluogo venne un commissario di polizia; e
prima di cominciare la sua inchiesta, del caso volle
parlare con l'arciprete. C'era Candido, in canonica,
quando arrivò il commissario. Tentò il commissario,
più di una volta, di ottenere che l'arciprete facesse

53

andar via Candido; ma all'arciprete era venuta improvvisamente l'idea di vedere come Candido reagisse a quella scena, se gliene ricordasse un'altra di molti anni prima. Se Candido aveva qualcosa dentro di raggrumato, di oscuro quello poteva essere il momento in cui liberarsene. Invitò il commissario a parlare liberamente, come se Candido non ci fosse e comunque con la sicurezza che di quel colloquio il ragazzo non avrebbe rivelato, fuori, una sola parola. Non convinto, con un certo disagio anzi, il commissario cominciò a parlare. Raccontò tutto quello che c'era da raccontare: i rapporti, i referti.

Il parroco era stato ucciso poco dopo che il sacrestano aveva suonato l'avemaria: particolare importante, perché subito dopo averla suonata, il sacrestano tentò di entrare in sacrestia per dire al parroco che aveva bisogno di fare un salto a casa: ma la porta, contrariamente all'abitudine, era chiusa a chiave dall'interno. Il parroco, dentro, stava parlando con qualcuno. Il sacrestano bussò. Il parroco domandò: «Che vuoi?» e il sacrestano: «Niente, voglio dirle che vado un momento a casa» e il parroco: «Va bene, ma che sia davvero un momento». E riprese a parlare con quell'altro.

Il sacrestano confessava di essere rimasto per un poco ad origliare. Sentì parlare l'altro. Riconobbe la voce dell'avvocato... «Non ne faccio il nome» disse il commissario «perché non è giusto immischiarlo in questa storia: tanto, è stato accertato che non c'entra». Tornato dopo una mezz'ora, il sacrestano aveva trovato la porta ancora chiusa. Ascoltò un poco: silenzio, l'avvocato dunque se ne era andato. Tentò la maniglia, la porta si aprì: dentro era buio, tanto che inciampò nel corpo del parroco. Ammazzato: tre proiettili, e ne sarebbe bastato uno tanto erano ben centrati, di una pistola che gli esperti avevano riconosciuta come tedesca, da guerra: di quelle che fino a qualche anno prima si trovavano anche nei mercati rionali.

Interrogato l'avvocato, tranquillamente rispose che il sacrestano la sua voce poteva averla sentita solo in sogno: quella sera non era uscito da casa, impegnato com'era a studiare un processo che doveva discutere l'indomani in tribunale. Tante volte era andato a trovare il parroco, di cui era amico e collaboratore (consigliere dell'ospedale San Giovanni di Dio di cui il parroco era presidente): ma proprio quella sera no, assolutamente. Né i carabinieri né il sacrestano potevano dubitare della parola dell'avvocato. Il sacrestano ammise che senz'altro si era sbagliato: ed era facile sbagliarsi dato che in sacrestia – e ne fu fatta prova – le voci subivano un certo rimbombo, una certa alterazione. «Questo è tutto quello che abbiamo: cioè niente» concluse il commissario.

E a questo punto, come tra sé, Candido disse: «La voce».

«La voce che?» si voltò verso di lui, irritato, il commissario. L'aveva previsto, che il ragazzo si sarebbe immischiato: uno di quei ragazzi saccenti, zelanti e petulanti che i preti si tengono intorno.

«Le voci» disse tranquillamente Candido «sono quasi sempre vere».

Il commissario vacillò tra la collera e lo sgomento. Si voltò a fissare l'arciprete con una faccia che era un punto interrogativo: un punto interrogativo che partendogli lampeggiante dall'occhio sinistro faceva curva nelle rughe della fronte, scendeva ad attenuarsi e ottenebrarsi di dubbio nell'occhio destro e finiva nella bocca aperta di indignato stupore.

L'arciprete era diventato pallido, sembrava più magro e affilato, la fronte gli luceva di sudore. Era pieno di meraviglia e di terrore: perché Candido aveva colto quello che lui pensava, quello che lui doveva dire ma non voleva dire. Dopo un lungo silenzio disse: «Le voci sono quasi sempre vere; e le cose sono quasi sempre semplici».

Il commissario era ancora come pietrificato nella sua muta domanda. Poi, come sciogliendosi da uno stato d'ipnosi, l'arciprete disse: «Al nome dell'avvocato credo di esserci arrivato, da quello che lei mi ha detto; ma non vorrei ci fosse equivoco... Vuole essere tanto gentile da dirmelo?». Il commissario automaticamente, come fosse ora entrato lui in stato di ipnosi, glielo disse. E l'arciprete: «La ringrazio... Mi scusi, torno subito». Si alzò, passò nell'altra stanza. Candido intuì che aveva bisogno di raccogliersi, di pregare. Tornò più sereno. Disse semplicemente: «Mi dispiace, ma è possibile».

«Che cosa?» domandò il commissario.

«Che le voci siano quasi sempre vere e le cose quasi sempre semplici».

Tra il non capire e il non voler capire, il commissario balbettò: «Vuol dire che...».

«Appunto» disse l'arciprete.

«Ma perché?».

«Questo non lo saprà da me» disse fermamente l'arciprete.

Lo seppe infatti da altri, e tutto sommato senza tante difficoltà. Lo seppe, infine, dall'avvocato stesso. Era andato dal parroco nell'estremo tentativo di convincerlo a sposare sua figlia, una ragazza di diciotto anni che dal parroco era stata sedotta e aspettava un bambino: ma il parroco aveva preso un atteggiamento così negativo e sprezzante da meritarsi quelle tre pallottole ben centrate. Dopo più di una settimana, l'avvocato non ne aveva ombra di rimorso; da avvocato, non aveva che una preoccupazione: portare più testimoni che poteva a dire che la pistola la portava sempre con sé, che non si era armato con la premeditazione di uccidere. Del resto, la città tutta lo approvava fin quasi all'acclamazione: e per la duplice ragione che aveva vendicato il suo onore e che l'aveva vendicato su un prete. Un'improvvisa eruzione di anticlericalismo, come di un vulcano così lungamente quieto da crederlo spento, infuocò il paese. E poiché tutti sapevano com'erano andate le cose, che erano stati Candido e l'arciprete a mettere nelle mani della polizia l'autore di quel delitto, non tardò a saperlo il vescovo: e mandò un dotto teologo a inquisire sul caso. Il risultato di quell'inquisizione fu che all'arciprete venne rivolto, prima velato poi esplicito, l'invito a dimettersi da arciprete: non poteva continuare a tenere quella carica se tutti i fedeli ormai lo disapprovavano fino al disprezzo. E poi, diceva il dotto teologo, non che la verità non sia bella: ma a volte fa tanto di quel danno che il tacerla non è colpa ma merito.

Consegnando al teologo il foglio delle dimissioni, l'arciprete non più arciprete con tono parodiante, quasi cantando, disse: «*Io sono la via; la verità e la vita*; ma a volte sono il vicolo cieco, la menzogna e la morte».

Il teologo se l'ebbe a male. Ma l'ex arciprete era in uno stato d'animo che quasi toccava l'allegria.

*Del tentativo che l'ex arciprete fece di dedicarsi a coltivare
il proprio orto e Candido le proprie terre; e delle delusioni
che ne ebbero.*

Un po' di rispetto Candido lo aveva dai compagni
di scuola: lo guardavano come se avesse fatto l'attore
in un film poliziesco. L'ex arciprete da nessuno.

Al generale, con la vicenda che aveva suscitato
l'indignazione della città e provocata anche quella
del vescovo al punto di degradare l'arciprete Lepanto, sembrò che la misura fosse colma. Scrisse alla
figlia dello scandalo, dello scandaloso comportamento di Candido e di Lepanto: e se non era il caso
di tornare alla vecchia e giusta – sottolineò giusta –
idea di trasferire Candido in America. Maria Grazia
rispose con durezza e decisione. Di chi era stata la
bella idea di affidare Candido all'arciprete Lepanto? Non di lei, certamente: lei i preti li aveva sempre
rispettati, ma diffidandone. Provvedesse dunque il
generale a separare comunque Candido dall'ex arciprete. In quanto a chiamarselo in America, non era
possibile: a parte la reazione, il trauma che Candido

ne avrebbe avuto, gli pareva possibile che un ragazzo di tredici anni, vissuto fino a quel momento in Sicilia, arrivasse in una tranquilla e quasi felice famiglia americana senza sconvolgerla?

Il generale rispose minacciando di rinunciare alla tutela di Candido; ma Maria Grazia sapeva che mai avrebbe rinunciato: e fu irremovibile. Soltanto promise che avrebbe fatto un salto in Sicilia. E lo fece di sorpresa, molti mesi dopo: in un periodo in cui Candido, naturalmente in compagnia dell'ex arciprete, era partito, in funzione di barelliere, per Lourdes: in un treno di ammalati, di storpi e di ciechi che si candidavano al miracolo. Ma di questo viaggio, che tanto edificò la madre di Candido quando lo seppe e le fece apparire ingiusto il giudizio ed esagerate le preoccupazioni del generale, diremo più avanti.

Intanto l'ex arciprete – che da ora in poi chiameremo don Antonio, come Candido lo chiamava – si era trasferito dalla canonica della cattedrale nella casa, rimasta per anni disabitata, che aveva ereditato da suo padre. Crocifisso, calamaio e libri stavano ora su un tavolo piccolo e zoppo. La casa era piccola e umida, ma aveva un orto ormai invaso dalle ortiche che don Antonio si mise in puntiglio di coltivare per cavarne quel tanto, diceva, che gli bastava per campare. Ritrovò, arrugginiti e malfermi, gli attrezzi che erano stati di suo padre; e si mise al lavoro, aiutato qualche volta da Candido. Per semine e trapianti, concimazioni, zappature e rimonde si affidava alla memoria di quel che in anni lontani aveva visto fare a suo padre: ma o che la memoria gli fallisse o che la terra, l'aria, la vicenda della pioggia e del sole, il giro delle stagioni fossero mutati, tutto gli veniva su stentato, malato. Ma non si scoraggiava: credeva fosse, come di ogni cosa della vita che desse frutto, questione d'amore; e che lui non fosse ancora arrivato ad amare pienamente la terra e quel lavoro.

L'orto di don Antonio ricordò a Candido che aveva delle terre. Andò a vederle, ne fece una specie di censimento: quanto erano estese, la gente che vi lavorava, le colture, le pecore e i buoi che vi pascevano. Tanta terra, e pochissime le persone che la lavoravano: se ne erano quasi tutte andate nel Belgio, in Francia, nel Venezuela; le poche rimaste erano, oltre che per l'età, immalinconite per la fuga dei figli in quei paesi lontani. Se i figli se ne erano andati, se era improbabile che tornassero, che senso aveva il loro restare a lavorare la terra?

Candido domandò al generale il permesso di occuparsi delle proprie terre. Il generale gliel'accordò: ma a patto che non gli chiedesse soldi per attrezzi, macchine e migliorie. «Così come le cose vanno» disse «qualcosa ancora si cava: se ti attenti a fare del nuovo, se ne andrà il reddito e se ne andranno anche le terre». Candido disse che non gli avrebbe chiesto soldi per strumenti di lavoro e migliorie: voleva solo andarci a lavorare. Gli occorreva però, per andare e venire più celermente che in bicicletta, una motocicletta. Il consenso del generale fu pronto e persino generoso: gliene consigliò una, di motociclette, tra le più potenti; forse nella speranza che gli capitasse di rompersi l'osso del collo. Illazione nostra, non di Candido; Candido semplicemente credeva che tanta generosità da parte del suo tutore fosse un premio al suo andar bene a scuola e al fatto che mai gli aveva chiesto soldi oltre i pochi che ogni mese gli passava. Peraltro, Candido la motocicletta la usava con prudenza, senza il gusto della velocità e del rombo. Andava in campagna, si faceva le sue due o tre ore di zappa, tornava: quietamente, regolarmente. Si era scelto un pezzo di terra vicino a una sorgente, lo aveva ben dissodato e concimato; tanto ben concimato che quel che poi vi seminò venne su come bruciato. Lavorava sulla base di quel che leggeva su un manuale, di quel che vedeva fare a don Antonio e di quel che i contadini gli consigliavano: e già sarebbe stato un mezzo fallimento seguire i primi due, lo era del tutto coi consigli dei contadini. Il generale non lo avevano mai visto, su quelle terre; perciò in un certo modo lo rispettavano e gli erano affezionati. Le donne e qualcuno dei vecchi gli davano persino il voto; gli altri solennemente glielo promettevano e giuravano poi di averglielo dato, ma lo davano invece al Partito Comunista. Ma Candido che ci andava ormai ogni giorno, lo detestavano. Gli pareva andasse per spiarli, per angariarli. Ed anche, gli pareva, che in quel suo lavorare la terra, che vedevano come passatempo e capriccio, ci fosse una parodia del loro lavoro, una irrisione, una beffa. Candido credeva invece che fossero contenti di vederlo, di parlare con lui; così come lui era contento di stare con loro, di ascoltare i loro sentenziosi discorsi, i racconti, gli apologhi. Gli faceva anche dei servizi, portandogli dalla città le cose di cui avevano bisogno. Ma nulla riusciva a intaccare il loro antico odio contro il padrone; un odio che per l'assenza del generale si era negli ultimi anni sopito e che la continua presenza di Candido ora gagliardamente rinverdiva. Per di più, Candido appariva loro come una specie di usurpatore, di ladro. E non soltanto, come sempre il padrone, rispetto a loro e al loro lavoro; ma rispetto ai beni dell'avvocato Munafò buonanima (insopportabile padrone da vivo, buonanima da morto e per quella morte): beni che a Candido non potevano spettare e non spettavano, se proprio a lui il povero avvocato doveva il passaggio alla condizione di buonanima.

Dell'odio dei contadini Candido, come abbiamo detto, non si accorgeva; ma il disagio di essere il padrone di quelle terre lo sentiva. Perché dovevano essere sue, tutte quelle terre? Com'è che un uomo – suo nonno o suo bisnonno – non lavorandole o lavorandone solo una minima parte le aveva fatte proprie? Ed era giusto riceverle come lui le aveva ricevute, e tenersele? Erano domande che si faceva e faceva anche ai contadini; e ancora di più, a sentirse-le porre, i contadini l'odiavano. Ma le risposte che gli davano erano di questo tipo: che la roba si fa per i figli ed è giusto che i figli, e i figli dei figli, la conservino, ne godano e intatta la trasmettano a tut-ta la catena della discendenza. E così veramente pensavano; ma non relativamente a Candido, che di quella roba, di quei beni, era diventato erede per una legittimità che niente aveva a che fare con quel-la vera: che per loro era la somiglianza e quasi iden-tità del figlio col padre, il vivere del figlio nelle regole del padre, il non tradire il padre ragione o torto che avesse (sopratutto, anzi, nel caso avesse torto). E poi, di quella storia della terra ai contadini, della terra a chi la lavora, erano ormai stufi: per quel miraggio erano andati dietro al Partito Comu-nista, ancora ci andavano; ma straccamente, senza crederci e senza volerla. « La terra è stanca » diceva-no « e noi siamo più stanchi di lei ». Candido imma-ginava che se lui avesse ceduto ai contadini le terre, e si proponeva di farlo appena la legge glielo avesse consentito, i figli emigrati sarebbero tornati e tutto che era incolto, abbandonato alle erbe, alla sterpa-glia, sarebbe ridiventato netto, ordinato, produttivo. Ma un giorno che fece ai contadini questo discorso, si sentì dire che i loro figli sarebbero tornati sì, ma per vendere le terre e ripartirsene per dove ora sta-vano. Glielo dissero con un certo disprezzo: per lui, per le terre.

Candido ne ebbe delusione, perse entusiasmo, avvertì che c'era del ridicolo in quella sua volontà di fare il contadino. Quel lavoro gli piaceva, gli dava una sana stanchezza, un sano appetito, un sano son-no; ma, in aggiunta al senso di essere ridicolo, cominciò a dargli inquietudine il fatto che ne godes-se come di un privilegio: il privilegio antico del padrone che prima consisteva nel reddito, ora nel piacere quasi sportivo di coltivare maldestramente un pezzo d'orto.

Ne parlarono lungamente, lui e don Antonio.
Non volevano rassegnarsi alla sconfitta. E prima
che la sconfitta definitivamente arrivasse, don
Antonio ebbe l'idea del pellegrinaggio a Lourdes.
«Vedrai che bene ne avremo» disse misteriosamen-
te a Candido: come parlasse di una cura disintossi-
cante o ricostituente.

Del viaggio a Lourdes di Candido e di don Antonio; e del bene che entrambi ne ebbero.

Don Antonio era già stato a Lourdes: nell'estate del 1939, poco prima che scoppiasse la guerra. Aveva allora l'età che era ora di Candido: e ritornarvi dopo quasi vent'anni era dunque per lui una specie di sdoppiamento tra le impressioni che ne aveva avuto da quindicenne, da verificare e in un certo senso rivivere attraverso Candido, e quelle che ne avrebbe avuto ora. Solo che lui era allora un seminarista pieno di paure e vergogne riguardo al peccato, di brufoli che gli facevano credere e credeva del peccato fossero segni, di una devozione alla Madonna in cui a purificarsi dal peccato si immergeva; mentre Candido era del tutto refrattario all'idea che ci fossero peccati al di fuori del mentire e del volere la sofferenza e l'umiliazione degli altri, e non sentiva alcuna devozione per le immagini della Madonna e dei Santi che non fossero ben dipinte o scolpite – e nemmeno si trattava di devozione, ma di ammirazione e di piacere.

64

Più volte sollecitato da Candido, don Antonio nulla mai volle dire delle sue impressioni di allora: che erano state, possiamo dirlo noi, alquanto liberatorie rispetto all'ossessiva preoccupazione di peccare e alla non meno ossessiva devozione alla Madonna; e ne era derivato quel tanto di praticità e di destrezza che da cappellano a parroco, da parroco ad arciprete, in tempi brevi lo aveva avviato a una carriera che ora bruscamente gli si era chiusa. E, possiamo dire anche questo, il nuovo viaggio a Lourdes don Antonio stava facendolo con l'intento di ottenerne una ulteriore liberazione, e definitiva.

Partirono da Palermo in un pomeriggio di tremendo scirocco. Per un ritardo del treno che li aveva portati a Palermo, don Antonio e Candido arrivarono che il treno speciale per Lourdes era pronto alla partenza. Dalla signora che pareva comandasse la carovana e dal prete che l'assisteva, furono rimproverati del ritardo, e specialmente Candido che, per le sue funzioni di barelliere, avrebbe dovuto essere lì almeno due ore prima; ma il rimprovero, duro nella sostanza, era nel tono e nella scelta delle parole caritatevole e quasi implorante. Candido ne fu turbato. Non fosse stato per don Antonio, forse sarebbe tornato a casa. Forse: ché il desiderio di fare quel viaggio – il primo che faceva – era in lui come una febbre: ansiosa, visionaria, leggermente delirante.

Altro turbamento gli venne al percorrere il primo vagone: quelle stampelle appoggiate ai sedili, quei volti sofferenti che si voltavano verso di lui, quegli occhi senza sguardo. Ma un turbamento da cui non veniva ombra di pentimento per avere intrapreso quel viaggio, piuttosto un senso di stupore e di ammirazione per quella capacità di aggregare e organizzare tanta sofferenza umana in un convoglio di speranza. C'era, in quella somma di sofferenza, in quella organizzazione ed esibizione di sventure corporali, qualcosa di repugnante e insieme di grandioso. E in quel primo momento Candido ne sentiva la grandiosità, mentre don Antonio visibilmente era assalito dalla repugnanza; una repugnanza appena baluginante nel primo viaggio, sviluppata poi nella memoria e nel pensiero: e ora pienamente confermata. E non per quei corpi, per quelle piaghe, per quegli occhi acquosi o bianchi, per quelle bave; ma per quella speranza organizzata, convogliata.

Nei due giorni che ci vollero per arrivare a Lourdes, lo stupore e l'ammirazione di Candido cedettero per dar luogo alla repugnanza. Parlava d'altro, con don Antonio; e don Antonio con lui. Soltanto, ad un certo punto, Candido non si trattenne dal dirgli: «Se fossi Dio, di tutto questo mi offenderei» e don Antonio annuì muovendo la testa e stancamente sorridendo. Ma a controparte della repugnanza c'era in Candido – e si notava anche negli altri barellieri, nelle infermiere, nelle suore, nei preti – come una esaltazione fisica che saliva, una euforia, quasi una celebrazione della buona salute, degli appetiti, dei desideri. Le ragazze e le signore di buona famiglia che facevano da infermiere e che nelle prime ore del viaggio sembravano irrigidite e confitte in una volontaria mortificazione di se stesse com'erano state nella vita di ogni giorno, dei loro corpi, al calare della notte acquistarono una scioltezza, una vitalità dirompente, una carnalità sbocciante ed effusa: al punto che apparvero belle anche le brutte. E lo stesso effetto, o simile, dovevano fare i barellieri e i preti sulle infermiere e le suore, a giudicare dal tono tremulo di gioiosa ansietà e come gorgheggiante delle parole con cui gli si rivolgevano, dagli sguardi luminosi e vagamente estatici. E fu un fatto che doveva accadere, che non poteva non accadere in quella specie di universo manicheo – la malattia, la salute – che il treno era diventato, quello che capitò a Candido nella seconda notte. Poiché, come nella prima, all'albeggiare si era svegliato ed era andato nel corridoio, ecco che un'infermiera, passandogli davanti, per uno sfaglio improvviso del treno Candido se la sentì aderire e pesare come se la parete alla quale lui si appoggiava fosse diventata pavimento. Istintivamente mosse le braccia a impedirle di cadere, a tenerla sopra di sé: e fu come se il treno fosse rimasto agganciato a quel brusco movimento, a quella sospensione. Si sentì brancicato sopra il vestito, poi avidamente cercato sotto il vestito: e non seppe mai se un momento prima o un momento dopo o nello stesso momento in cui lui cominciava a modellare il corpo di lei sopra il vestito, a brancicarla, a cercarla. Per l'intensità con cui le sue mani sentivano, ebbe in un lampo l'immagine di sé cieco: e che quel corpo limpidamente si disegnasse nella sua mente soltanto per i segni che il tatto ne trasmetteva. Lungamente si baciarono. Poi Candido sentì e vide, vide nella sua profonda e dolcissima cecità, se stesso e il mondo diventare una sfera di liquida iridescenza, di musica.

La ragazza si staccò da lui, silenziosamente si allontanò nel corridoio semibuio. Si voltò prima di scomparire: e così Candido fu in condizione di riconoscerla, l'indomani. Non era bella, anche se non si poteva dire brutta. Ma solo che quel viaggio fosse durato, per Candido sarebbe diventata bellissima. Ma nelle ore che ancora restavano e nel viaggio di ritorno, lo sguardo di lei sorvolò Candido con una indifferenza che gli diede il dubbio di essersi sbagliato, di aver vissuto con un'altra quel momento di amore. Don Antonio lo rassicurò, e non perché conoscesse la ragazza: conosceva il mondo della beneficenza cattolica, e anche quegli atti di fuggevole amore, di peccato da assomigliare allo schiudersi e chiudersi di quei fiori che si chiamano belledinotte, ne facevano parte.

Del viaggio a Lourdes, peraltro triste e tristo, a Candido rimase questa gioia, questa rivelazione, questo miracolo. Ne fu, anzi, il solo miracolato, di tutto quel treno. Don Antonio l'aveva invece programmato per Candido come una vaccinazione rispetto al cattolicesimo; e per sé come un saluto, un congedo, un addio. Ma, nonostante la variazione toccata a Candido, il bilancio era pur sempre attivo. Candido si poteva considerare, nonché vaccinato, immune. E lui del tutto guarito, sciolto, libero.

Dell'amore per le donne, e per una donna, da cui Candido fu preso; e dei discorsi che in proposito gli faceva don Antonio.

Al ritorno da Lourdes, don Antonio non fu più prete. Volle che Candido lo chiamasse semplicemente Antonio, ma a Candido ogni tanto scappava il don (e anche a noi). Era diventato più allegro, più leggero, più spiritoso; al punto da apparire cinico e blasfemo a chi spiritoso non era. «Sono stato cinico, sono stato blasfemo: e ora che non lo sono più, di questi vizi mi accusano» diceva. E spesso dichiarava di essere diventato molto religioso. A prova di questa sua religiosità finalmente conquistata, adduceva il rigoglio dell'orto: la terra ora lo sentiva come uomo vivo, rispondeva alla sua passione. Di ciò Candido tanto convinto non era: la terra rispondeva a un più esperiente e accorto lavoro. Ma non poteva impedirsi di pensare che quel che don Antonio diceva della terra andasse bene per la donna, per le donne: nel treno per Lourdes aveva provato che l'amore risponde all'amore. E poiché quella esperienza la sentiva sfuggire come un sogno, diventare ogni giorno più imprecisa, più vaga, voleva ripeterla, non aveva altro pensiero che ripeterla, fermarla, confermarla; e completarla. Ne parlava con don Antonio, poiché era abituato a parlare con lui di tutto, liberamente, senza alcuna preclusione o vergogna.

«Vedi» diceva don Antonio «le donne appartengono al mio passato di prete. Per amarle veramente, o per amarne una, io dovrei liberarmi di quel passato. È stata una lunga malattia; ed ora sono in convalescenza. È facile far cadere uno dopo l'altro, come nel baraccone del tiro al bersaglio, tutti i dogmi, i simulacri e i simboli che sono stati parte della tua vita: direi che basta la piccola carabina del *Dizionario* di Voltaire, se l'occhio non è più appannato. Ma tutti quei dogmi, quei simulacri, quei simboli che tu credi di avere abbattuto, vanno a raccogliersi e nascondersi nel corpo della donna, nell'idea dell'amore o semplicemente nel fare all'amore. Mi sento talmente nella verità, in ogni cosa, in ogni pensiero, che a momenti mi pare di aver valicato la soglia del segreto, del mistero: e cioè che non c'è segreto, non c'è mistero; che tutto è semplice, dentro e fuori di noi. Ma amare o fare all'amore in questa semplicità, o sul confine, credo non mi sarebbe possibile né mi piacerebbe. E per quanto si corra nella libertà, credo che in questo la Chiesa, le Chiese, quelle che ci sono, quelle che verranno, avranno la meglio. Tra le lettere di San Paolo e il *De l'amour* di Stendhal il discorso corre sullo stesso filo di fuoco: l'inferno dell'altro mondo, l'inferno di questo; ed è un discorso bellissimo».

«Ma l'amore è semplice» diceva Candido.

«Non per me» diceva don Antonio. «L'inferno dell'amore continua ad essere il mio paradiso».

Della semplicità dell'amore, paradiso terrestre senza divieti divini e tentazioni diaboliche, Candido fece ancora prova: ma sfiorando questa volta l'inferno altrui.

Abbiamo finora trascurato di dire che il generale, vedovo da prima della guerra di Spagna, si teneva una donna che la casa gli governava e perciò era chiamata *la governante*. Non sempre la stessa: dal trentanove in poi ne aveva cambiate quattro o cinque, e una più giovane dell'altra, a misura che lui invecchiava: sicché l'ultima in carica, si poteva dire giovanissima. C'era da un paio d'anni. Esemplare nel governo della casa, addirittura la migliore che il generale avesse avuto: a dire dello stesso generale e a giudicare dall'odio che nei suoi riguardi Concetta non nascondeva. Il dover ammettere che «quella» (così la chiamava Concetta) sapesse tenere la casa in una pulizia e un ordine a lei ignoti, che sapesse ben cucinare (e si capiva dagli odori che aleggiavano dalla cucina), che le camicie del generale fossero ben stirate, era per Concetta una sofferenza che trovava compenso nel fatto, per lei assolutamente certo, che «quella» proveniva da una delle innominabili case che la legge aveva abolite. Né c'era per lei dubbio che «quella» andasse a letto col generale. Dubbio, per la verità, che nessuno che conoscesse il generale e avesse visto la governante nutriva. Tranne Candido, che alle allusioni di Concetta non aveva mai fatto caso. Per circa due anni, la governante era stata per lui come invisibile: una di quelle persone che finiscono con l'essere relegate nel rango degli oggetti che ci sono, non possono non esserci, ma tale è l'abitudine di vederli che non li si vede più; e cominciano ad esistere quando più non ci sono. Peraltro, lei pareva ci tenesse a rendersi invisibile: vestiva anonimamente, parlava pochissimo, scompariva durante le visite che il generale riceveva. Se era giovanissima o di mezza età, bionda o bruna, formosa o magra, Candido, se glielo avessero improvvisamente domandato, non avrebbe saputo dire. Questo fino a quel pomeriggio d'estate in cui, mentre leggeva Marx, ne vide sulla pagina gli occhi grigio-azzurri, una ciocca di capelli biondi, il taglio della bocca, la linea dal seno ai fianchi flessuosa: come di una pittura appena abbozzata, da completare.

Chiuse il libro, si alzò, uscì di casa; e andò, che non ci metteva piede da mesi, a casa di suo nonno: a verificare e completare l'immagine che gli era apparsa. E tanto da quella immagine era preso, che nemmeno per un momento gli avvenne di pensare al generale, di far calcolo sulla sua assenza (al cinquanta per cento probabile, di solito; ma in estate, per le vacanze del Parlamento, al venticinque).

Il generale era a Roma, lei glielo disse appena Candido entrò. Era un po' assonnata, le mani lente ed incerte nell'annodare la vestaglia azzurrina. Non gli domandò cosa volesse: si avviò verso il salotto, e Candido dietro che dolcemente strusciava lo sguardo sul corpo di lei che si disegnava e traspariva sotto la stoffa tenue, sul movimento che tra il passo e l'alzare le mani per aggiustarsi i capelli pareva il lento principio di una danza.

Nel salotto quasi buio lei si voltò a guardarlo: le ridevano gli occhi anche se la bocca era come imbronciata. Tirò dalla tasca della vestaglia un fazzoletto e lievemente se lo passò sulle labbra, sulle palpebre. Le sfuggì di mano; o se lo lasciò sfuggire. Planò sul tappeto. 'Candide lo raccolse. Lei gli prese innocentemente la mano, Candide innocentemente baciò la mano di lei con una vivacità, una sensibilità e una grazia particolarissime; le bocche si incontrarono, gli occhi si accesero, le ginocchia tremarono, le mani si smarrirono'.

A differenza del suo omonimo, le cui avventure e sventure erano uscite dai torchi del Lambert giusto due secoli prima, Candido ebbe quel giorno un lungo, pieno e quieto godimento. Godimento lungamente, pienamente e quietamente condiviso da Paola. E anche nei giorni che seguirono, nei mesi; ché sarebbe passato quasi un anno prima che il generale, avvertito da una lettera anonima, li cogliesse.

Del comunismo di Candido e di don Antonio; e dei discorsi
che tra loro e coi compagni facevano.

Candido, dunque, leggeva Marx. Aveva letto prima Gramsci, poi Lenin; ora leggeva Marx. Su Marx
si annoiava, ma vi si ostinava. I libri di Gramsci li
aveva invece letti con grande interesse; ed anche con
la commozione che gli veniva dall'immaginare quel
piccolo uomo gracile e malato che divorava libri e
annotava riflessioni: e così aveva vinto il carcere e il
fascismo che ve lo teneva. Gli pareva proprio di
vederlo, di vedere la cella, il tavolo, il quaderno, la
mano che scriveva; e di sentire il lieve raschio del
pennino sulla carta. Ne aveva parlato spesso, con
don Antonio, di Gramsci e di quel che di Gramsci
aveva appena letto; ma don Antonio non amava
molto Gramsci, vedeva nelle pagine dei *quaderni* serpeggiare un errore, una incrinatura. I cattolici italiani: e dove li aveva visti, Gramsci? La domenica, alla
messa di mezzogiorno: poiché non altrimenti esiste-
vano. Erano una debolezza, e Gramsci aveva cominciato a farne una forza: nella storia d'Italia, nell'av-

venire del paese. «Speriamo che l'errore non si sviluppi, che la faglia non cammini» diceva. Ma a Candido pareva che su questo argomento don Antonio non avesse sufficiente serenità. Del suo essere stato prete restava in lui troppa delusione, troppo risentimento; e che un po' troppo, quindi, quel che era stato agisse su quel che voleva essere.

Si era annoiato anche su Lenin, ma diversamente che su Marx e molto meno. Di Lenin si era fatta l'immagine come di un carpentiere che si fosse affaticato a battere sugli stessi chiodi, in cima a un'armatura; e tanta fatica non aveva impedito che qualche chiodo fosse piantato male o andasse storto.

Era uscito dalle pagine di Lenin come da un frastuono di cantiere; ed era entrato in quelle di Marx proprio come quando, dopo aver visitato un cantiere, si entra nello studio di chi lo dirige. E come non è a tutti facile, e ai più difficile, leggere i grafici, i progetti, le planimetrie che vi stanno appesi e distesi, a Candido pareva di stare ad aggirarsi nelle pagine di Marx senza saperle leggere. E questa impressione, questo disagio, gli durò fin quando, dopo aver letto di Marx tutto quello che aveva trovato, tornò a leggere il *Manifesto del Partito Comunista*. Allora gli fu chiaro che tante cose forse davvero non le aveva sapute leggere, ma altre non le aveva capite proprio per il fatto che le aveva capite: e cioè nel rifiuto che proprio quelle cose Marx avesse voluto dire e avesse detto. Quando, a scuola, aveva studiato Machiavelli, lo aveva molto impressionato, nel senso che gli era venuto il dubbio che Machiavelli non fosse intelligente, il fatto che avesse potuto credere in un futuro in cui le armi da fuoco sarebbero state accantonate per tornare alle armi bianche. E quello che Marx muoveva intorno a quella grande e semplice verità sul capitale, sul capitalismo, a quella grande e semplice scoperta, gli pareva fosse del genere di quella previsione di Machiavelli sul ritorno all'arma bianca. Non si poteva vedere anche allora, si domandava Candido, che il capitalismo avrebbe avuto scelta come tra le armi bianche e le armi da fuoco? E come non capire che si sarebbe tenuto alle armi da fuoco e che le avrebbe sempre più micidialmente perfezionate?

Era un pensiero – sospetto e domanda – che aveva timore e ritegno ad esprimere anche di fronte al solo don Antonio, nei discorsi che sempre facevano sul loro essere comunisti, sui testi del comunismo. Per Candido l'essere comunista era un fatto semplice come l'aver sete e voler bere; e non gli importava poi molto dei testi. Per don Antonio era una faccenda molto complicata, molto sottile, tutta puntualizzata in un apparato di richiami ai testi, di chiose. Certe affermazioni che gli sfuggivano, Candido non sapeva poi ben spiegarle anche a se stesso; e ancor meno era capace di farne dimostrazione, come di teoremi, a don Antonio. Sicché gli capitava, appena gli pareva che don Antonio non fosse d'accordo e lo sollecitasse alla dimostrazione, di richiudersi come già battuto anche se battuto non si sentiva. Una volta che gli avvenne di affermare che, di fronte a Lenin e Marx, Victor Hugo e Zola, e anche Gor'kij, *erano meglio*, allo stupore quasi irritato di don Antonio: «Che vuol dire *sono meglio*? In che senso *sono meglio*?» Candido, pur nella chiarezza di quel che sentiva, stentatamente, faticosamente, riuscì a dire che *erano meglio* perché parlavano di cose che ci sono ancora, mentre Marx e Lenin era come se parlassero di cose che non ci sono più. «Quelli parlano delle cose che c'erano, ed è come se parlassero delle cose che sono venute dopo. Marx e Lenin parlano delle cose che sarebbero venute, ed è come se parlassero delle cose che non ci sono più». Ma a don Antonio non bastava, incalzò domande; e Candido altro non seppe rispondere che se avesse solo letto Marx e Lenin non sarebbe stato comunista se non come a una specie di ballo mascherato: vestito come al tempo di Marx, come al tempo di Lenin. Risposta che a

75

don Antonio parve generata da una confusione che Candido doveva aver fatto dentro di sé; né Candido seppe dire altro, a chiarire a don Antonio quel che dentro di sé vedeva chiarissimo.

Essere comunista era insomma, per Candido, un fatto quasi di natura: il capitalismo portava l'uomo alla dissoluzione, alla fine; l'istinto della conservazione, la volontà di sopravvivere, ecco che avevano trovato forma nel comunismo. Il comunismo era insomma qualcosa che aveva a che fare con l'amore, anche col fare all'amore: nel letto di Paola, in casa del generale. Don Antonio questo lo capiva e, generalmente e genericamente, lo approvava; ma riguardo a sé, al suo essere comunista, aveva idea diversa. «Un prete che non è più prete» diceva «o si sposa o diventa comunista. In un modo o nell'altro deve continuare a stare dalla parte della speranza: ma in un modo o nell'altro, non in tutti e due i modi». Candido non capiva. E don Antonio spiegava: «Chi non è stato prete, può aver famiglia ed essere comunista. La famiglia, anzi, si può credere sia una ragione di più per esserlo. Dico si può credere: ché in effetti, ad un certo punto, la famiglia inevitabilmente finirà col pesare più dalla parte della conservazione che da quella della rivoluzione. Ma uno che è stato prete e non lo è più perché si è accorto che il suo ministero si riduceva a seppellire, da morto, altri morti, ed è diventato comunista, non può di nuovo correre il rischio di finire col voler conservare. Tanto valeva che fosse rimasto prete. Il celibato che la Chiesa ancora impone ai preti, è l'unica sopravvivenza rivoluzionaria, ma ormai soltanto formale, che nella Chiesa ci sia». Candido continuava a non capire. O meglio: a non voler capire; poiché a momenti lo assaliva l'apprensione che don Antonio stesse passando da una Chiesa a un'altra. E arrivò a dirglielo, una volta: facendolo molto inquietare e rodere.

Volevano entrare nel partito; ma il partito, particolarmente nella persona dell'onorevole di Sales, non pareva ben disposto ad accoglierli. Fosse stato, don Antonio, uno di quei preti che lasciano la Chiesa dopo un lungo conflitto con la gerarchia o clamoroso, il suo ingresso nel partito sarebbe stato salutato come un avvenimento significante. Ma se ne era andato dopo essere stato degradato, dopo di avere accettato la degradazione; e in silenzio. E poi, popolare non era: e per il fatto di aver mandato in galera quel povero avvocato che aveva redento l'onore della propria figlia, della propria famiglia, uccidendo un pessimo prete (e cioè, nella concezione dei più, un prete come tutti gli altri preti e come lo stesso don Antonio). E in quanto a Candido, c'era tutto un elenco di ragioni che consigliavano a non ammetterlo nel partito; e anche quelle di una madre che era andata via con l'ufficiale americano che aveva avuto in mano la città e aveva favorito fascisti e mafiosi, di essere nipote di un generale fascista diventato deputato democristiano, di essere ricco. Meno ricco dell'onorevole di Sales, ma ricco. Per cui sulle loro domande di iscrizione al partito molto si tergiversò; e furono accolte soltanto quando il partito (e cioè l'onorevole di Sales) si accorse che intorno a don Antonio e a Candido tanti giovani comunisti, studenti e artigiani, cominciavano a far circolo.

Quasi ogni sera questi giovani si trovavano in casa di don Antonio. Tutto era cominciato una sera che Candido aveva condotto con sé, in casa di don Antonio, un compagno di scuola, il solo che gli fosse amico: povero, intelligente e comunista. E fu il primo anello di una catena di amicizia, di solidarietà, che don Antonio seppe coltivare e prolungare con spontaneità di cuore oltre che con abilità di ex arciprete. Per vivere, don Antonio dava lezioni private e aiutava nelle tesi di laurea (letteratura italiana, letteratura latina, filosofia) quei giovani che per fare una tesi non sapevano dove mettere le mani; la sera teneva quella conversazione coi giovani comunisti che era una specie di scuola. La cosa preoccupava l'onorevole di Sales; e d'altra parte, quei giovani facevano una certa pressione a che don Antonio e Candido fossero ammessi nel partito. Prese dunque la risoluzione di farli entrare, ma dando incarico ai più fidi di vigilare sui due e di metterli sotto accusa al primo segno di eterodossia. Chiese a don Antonio di spostare quelle riunioni serali da casa sua alla sede del partito; sicché la sede del partito divenne come una scuola serale, ma libera, ma ogni sera come inventata, in cui si parlava di marxismo e di psicanalisi, della situazione del mondo e di quella del paese.

Ma non poteva durare. E non durò, infatti.

Del furore del generale contro Candido e Paola; e dell'ingresso di Paola in casa di Candido, con conseguente fuga di Concetta.

Una lettera anonima, come abbiamo detto, avvertì il generale che la governante e il nipote «si giacevano assieme in sua assenza». Proprio questa la dicitura: e solo che il generale vi avesse fatto per un momento riflessione, sarebbe stato in grado, come quasi tutti gli abitanti della città se l'avessero vista, di riconoscere l'autore della lettera: che era l'impiegato municipale Scalabrino, assiduo lettore del Boccaccio e non meno assiduo e sempre anonimo certificatore di illeciti sessuali e amministrativi. Ma appena l'ebbe letta, il generale non fu più in grado di riflettere: fieramente combattuto tra la volontà di non credere o di ignorare e la volontà di sapere. Prevalse questa, a suo danno: e li sorprese, Candido e Paola, che «si giacevano». Chiamò mascalzone Candido e sgualdrina Paola, gridò che li avrebbe ammazzati, corse fuori dalla stanza sempre gridando che morte meritavano e morte avrebbero avuta. Pensarono,

Paola e Candido, fosse corso a staccare un fucile o una pistola dalla panoplia e che sarebbe riapparso a fulminarli. Ma ebbero il tempo di rivestirsi, che il generale non compariva. Né si sentiva. Li prese una paura più forte di quella di vederlo riapparire armato. Silenziosamente, cautamente, si mossero a cercarlo.

Il generale stava in salotto: immobile su una poltrona come vi fosse caduto, l'occhio spento. Senza muoversi disse: «Fuori, andatevene subito via: e non ricomparitemi mai più davanti». Candido ne ebbe pena, Paola un po' meno. Se ne andarono, e Paola così com'era, in vestaglia. Se Scalabrino fosse stato a guatare nei pressi della casa del generale, avrebbe avuto la soddisfazione di registrare l'effetto della sua lettera. Ma anche se Scalabrino non c'era, anche se deserte sembravano in quell'ora le strade, molti furono gli invisibili spettatori della sortita. E anche dell'altra, inversa sortita: di Concetta dalla casa di Candido, un'ora dopo. Ché a vedersi apparire davanti, assieme a Candido, «quella», pallidi entrambi e in vestaglia «quella» che diventava «questa qui», Concetta ebbe confusa intuizione e poi conferma di quel che era accaduto. Quando Candido fermamente disse che Paola era venuta per restarsene con loro, Concetta lanciò un grido straziante, si segnò di croce, sempre gridando disse che dove stava «questa qui» lei non poteva restare: e strappò la sua roba dagli armadi, furiosamente la infagottò, se la caricò, andò via, per le scale e fino al portone a gran voce imprecando contro «questa qui», contro Candido, contro l'ex arciprete: tutte e tre anime perse. E se ne andò a casa del generale, come fosse la cosa più giusta e più ovvia per lei andarci e per il generale accoglierla. Per ore non si parlarono; poi, all'invito del generale di andare a dormire nella stanza che era stata di «quella», Concetta rifiutò sdegnosamente, dicendo che preferiva il più piccolo camerino a quella comoda stanza ormai irrimediabilmente contaminata dal peccato di «quella»: e diede stura a tutto quello che dentro le fermentava. Odio per «quella» e per l'ex arciprete, entrambi dannati di uguale dannazione: questo per aver tentato e corrotto Candido nella mente, quella nel corpo; rimorsi nei riguardi del generale: per non avergli dato il voto e per non avergli prestato fede quando aveva detto che l'allora arciprete era un mascalzone già, anche prima di essere degradato e di spretarsi; pietà per Candido: ormai rovinato, ormai perduto; e commiserazione per sé e per il generale: indegnamente traditi da quei due esseri ormai caduti nel baratro della bestialità (ma Candido per colpa di «quella»). Tutti e due traditi, ma, a voler essere giusti, meritatamente il generale, immeritatamente lei. «E com'è che un uomo come lei va a tirarsi in casa una donna come quella?». Il generale mostrò un segno di reazione, ma stancamente. «Non cominciamo: i rimproveri me li faccio da me. E basta... Va' a dormire, ora».

«A dormire?» si stupì Concetta. «E come si può dormire, quando ci succedono cose simili?... Dobbiamo parlare, invece; dobbiamo parlare fino a domani». E davvero fino all'alba parlarono. E così cominciò la nuova vita del generale.

In quanto a Candido, la pena che sentiva per il generale e quella, più pungente, che sentiva per Concetta, non gli impedirono di fare all'amore con Paola, ora come stordita di libertà, di felicità. Fino all'alba.

Degli ammonimenti che Candido ebbe dal partito; e del processo che si cominciò ad istruire a suo carico.

Tutto che quel giorno era accaduto tra la casa del generale e quella di Candido, la città lungamente ne ronzò. I fatti furono debitamente integrati, salacizzati e, nel senso della malevolenza, abbelliti. Si disse che il generale ne aveva avuto un colpo di infarto secondo alcuni, di paralisi secondo altri; che Paola aspettava un bambino, non si sapeva se figlio di Candido o del generale; che la Democrazia Cristiana aveva chiesto al generale di dimettersi dal Parlamento e il Partito Comunista a Candido di dimettersi dalla federazione giovanile. E si disse anche che Paola, oltre che del generale e di Candido, era stata ed era l'amante di don Antonio: il che portava a tre i padri del figlio che aspettava, e sarebbe poi stato un gioco delizioso stabilire in base alle somiglianze, per plebiscito della città, a chi quella paternità attribuire.

A parte il fatto che Paola aveva lasciato la casa del generale ed era entrata in quella di Candido, il resto era pura fantasia. Un po' di verità era in quel che si diceva del Partito Comunista: che si preoccupava dello scandalo che Candido aveva offerto all'intera città. Un simile scandalo serviva invece alla Democrazia Cristiana per liberarsi, nel modo più indolore e più asettico, del generale. Di cui già alle ultime elezioni aveva tentato di liberarsi, non facendolo eleggere: ma si era verificato un imprevisto ingorgo di voti, sul numero del generale; forse dovuto all'imprevedibile fatto che l'elettorato continuasse ad apprezzare l'onestà. Il generale era un imbecille, ma onesto; e per alcuni imbecille nella misura in cui era onesto: per quelli, precisamente, che nel partito volevano toglierselo dai piedi.

Il Partito Comunista, dunque, davvero se ne preoccupava. I giovani che avevano sostenuto Candido e don Antonio nella domanda di iscrizione al partito, furono ad uno ad uno chiamati e severamente rimproverati. Poi fu chiamato don Antonio. Poi fu chiamato Candido. Come accusati, a discolparsi: poiché era una specie di processo istruttorio che il partito aveva avviato.

Don Antonio si sentì muovere due accuse: di non aver distolto Candido da quell'amorazzo, da quella tresca, da quella relazione tanto indecente da sfiorare l'incesto (e avrebbe potuto, dato l'ascendente che si sapeva avesse su Candido); e di essere anche lui amante di quella donna, secondo certe voci che correvano per la città. Questa seconda accusa lo sconvolse: si sentì soffocare da una indignazione che arrivava alla nausea e, insieme, da una dolente pietà per coloro che avevano messo in giro quelle voci e per coloro che gliene domandavano conto. Avesse potuto appartarsi, si sarebbe messo a pregare: poiché ancora credeva in Dio e ancora pregava. Davanti a quei giudici, arrossì, gli si riempirono gli occhi di lacrime, balbettò: si comportò insomma, ai loro occhi, da colpevole. In quanto alla prima accusa, disse che non sapeva distinguere tra un amore e un amorazzo; a meno che non si volesse definire amorazzo quello che prima era stato visto senza scandalo e soltanto con ridevole malizia commentato: di un vecchio che per salario si teneva una giovane. Che poi una giovane donna e un giovane uomo si sentissero reciprocamente attratti, si amassero e facessero all'amore, era nell'ordine e nell'armonia della vita; ed era anche affar loro, di cui nessun altro aveva diritto di prendersi pensiero o di censurare. E qui si impiantò una discussione che i giudici ad un certo punto bruscamente troncarono ribadendo, nel modo più netto e definitivo, che il partito aveva ogni diritto di intervenire, quando la condotta privata di un iscritto dava luogo a maldicenze anche infondate; e figuriamoci se a fondatissimi scandali, quale quello di Candido.

Per sua parte, quando gli toccò subire l'interrogatorio e discolparsi, Candido disse che mai aveva pensato Paola fosse altro, per suo nonno, che la governante; né ora che tentavano di insinuargli il sospetto che ne fosse stata l'amante gli passava per la testa di chiederne a lei. Era un fatto che a lei apparteneva, al suo passato: di amore, se amore era stato; di vergogna, se era stata vergogna; e a maggior ragione se di vergogna, lui aveva il dovere di farglielo dimenticare e non il diritto di inquisire.

Gli domandarono se era disposto a separarsi da «quella» (anche per loro, come per Concetta, era «quella»). Rispose decisamente di no. Lo invitarono a pensarci su, lo ammonirono a comportarsi da persona che attende una sentenza: e che secondo il suo comportamento da quel momento in poi, la sentenza sarebbe stata assolutoria o di condanna. A Candido venne voglia di rispondere che se ne infischiava; ma si trattenne sperando che sarebbero stati loro, i giudici, a ripensarci. Del resto, proprio in quei giorni era entrato in quella che è per la legge la maggiore età di un uomo: e dunque a nessuno, ormai, aveva da rendere conto della propria vita.

Della vita che Candido conduceva tra casa, campagna e partito; e della proposta che gli fu fatta e che non accettò.

Candido aveva deciso di smetterla, con gli studi regolari: ammesso che ne avesse mai fatti. La scuola, in cui benissimo era andato riguardo a promozioni e a voti, in effetti gli era servita per leggere tutti quei libri che niente avevano a che fare con la scuola e molto con la vita. Voleva ora completamente dedicarsi alla campagna. Grazie alla scrupolosa amministrazione del generale, si trovava ad avere del denaro in banca. Comprò dei trattori, che imparò a manovrare; fece costruire condotti e gebbie per sfruttare l'acqua che prima si disperdeva; impiantò vigneti e serre per gli ortaggi. Faceva la vita di un contadino e, insieme, di un meccanico: arava, piantava, innestava; e curava le macchine, le riparava quando si guastavano. Ogni sera, all'imbrunire, tornava a casa contento. E trovava contenta Paola. Il sabato sera, o quando c'era riunione d'assemblea, andava al partito: non ogni sera come quando andava a scuola. Partecipava alle discussioni o per riportarle al punto di partenza, quando talmente se ne allontanavano che più non si vedeva, o per dire nel modo più breve e più netto la sua opinione. Quei pochi contadini che c'erano, e specialmente quando si parlava di agricoltura, sempre approvavano i suoi interventi; ma quasi mai li approvavano quelli che stavano dietro il tavolo, sotto i ritratti di Marx, di Lenin e di Togliatti. Ogni volta che gli capitava di esser da costoro disapprovato, Candido rincasava dubitoso di sé, della sua capacità di vedere le cose nella giusta luce, e pentito di aver parlato. Un po' di conforto soltanto lo trovava nel fatto che i contadini lo avessero approvato. Appunto questo Candido a-mava del partito: il trovarsi assieme ai contadini, agli artigiani, ai minatori; gente vera, concreta, che parlava dei propri bisogni e dei bisogni della città con poche parole e precise; e a volte raccogliendo tutto un discorso in un solo proverbio. E c'era un contrasto abbastanza netto, anche se inavvertito, tra coloro che formavano il partito, che per numero, bisogni e speranze erano il partito, e coloro che il partito rappresentavano e dirigevano: di inesauribi-le e sfuggente corso i discorsi di questi; rapidi e sec-chi come colpi al bersaglio gli interventi di quelli e non privi, a volte, di grezza ironia. Don Antonio vedeva in questo contrasto, che mai però veniva fuo-ri come contrasto, una ripetizione di quel che nella Chiesa era sempre accaduto ed accadeva: quella stessa gente che amava parlar poco, la cui vita fami-liare e sociale era fatta più di silenzi che di parole, amava le prediche lunghe, i predicatori che meno si facevano capire. «L'anima mia lo capisce» aveva detto una volta una vecchietta di un predicatore ver-boso e incomprensibile. I dirigenti del partito anco-ra, dunque, parlavano all'anima di coloro che sol-tanto dei corpi potevano e sapevano parlare.

In questo modo di vita che si poteva dire sereno, con soltanto quel punto nero della sentenza che il partito doveva ancora pronunciare sulla sua condotta, Candido si trovò ad un certo punto protagonista di una vicenda che accrebbe la disistima dei più nei suoi riguardi e inclinò alla condanna, invece che all'assoluzione o all'indulgenza, quella sentenza.

Una sera, sul tardi, ebbe a casa la visita di un certo Zucco. Persona di indefinibile attività, tra il mediatore di immobili e il procacciatore di voti, Candido vagamente lo conosceva per averlo qualche volta incontrato come premuroso accompagnatore di suo nonno. Pensò venisse, appunto, da parte di suo nonno: ignorando che Zucco già da un pezzo, avendo annusato l'odor di morte che in politica emanava il generale, più non gli si accompagnava e anzi accuratamente lo evitava. Infatti, di tutt'altro aveva da parlare con Candido. Prendendo l'argomento alla lontana, quasi fosse venuto per far complimenti a Candido di essersi sistemato con Paola e di aver sistemato le sue terre, gli domandò che intenzioni avesse su quel pezzo di terra alle porte del paese che Candido forse non ricordava di avere, se ancora non aveva messo mano a sistemarlo (il verbo sistemare era da Zucco prediletto). Candido rispose che ricordava di averlo, e che forse lo avrebbe sistemato a vigneto. Zucco se ne scandalizzò. «A vigneto, quella terra? A vigneto, una terra situata alle porte del paese? Ma quella terra vale oro, ma quella terra è oro!». E spiegò come fosse oro; cioè come oro potesse diventare.

C'era in progetto, per la città, la costruzione di un grande ospedale. Quella terra era il posto ideale per costruirvelo. Solo che Candido volesse. Candido rispose che, trattandosi di un ospedale, certo che voleva: e poi, volesse o no, il comune o la provincia o lo stato con la motivazione della pubblica utilità quel pezzo di terra potevano sempre espropriarglielo. «Sì, certo,» disse Zucco «ma il problema è quello del denaro».

«Capisco» disse Candido: e non aveva capito. «Ma il terreno io posso regalarlo. Figuriamoci se non lo regalo: c'è tanto bisogno di un ospedale».

«Regalarlo?» Zucco boccheggiava di stupore.

«Sì» disse Candido «credo si possa farlo: un atto di donazione, non so...».

«Non ci siamo capiti» disse Zucco.

«Cerchiamo di capirci» disse Candido.

«Ecco... Io... Mettiamo... Ecco...» Zucco era in difficoltà, non riusciva a trovare il giusto filo del discorso; del discorso da fare a uno sprovveduto, a un cretino come il giovane Munafò. Suo padre, buonanima, avrebbe capito a volo. Suo nonno pure: pur non essendo intelligente e pur essendo onesto (una smorfia di disgusto si disegnò sulla faccia di Zucco, al pensiero dell'onestà del generale). Questo qui a chi somigliava, di chi era figlio?

Drammatico silenzio da parte di Zucco; di attesa, di curiosità e con un po' di sospetto, da parte di Candido.

«L'ospedale» disse finalmente Zucco «lo si può costruire sulla sua terra o sulla terra di qualche altro, nelle vicinanze della città. Poiché la terra espropriata sarà pagata a peso d'oro, è chiaro che chi decide quale sarà il posto in cui sorgerà l'ospedale viene a fare un grosso favore, un grosso regalo al proprietario di quella terra. E il proprietario che fa, non ringrazia? Che fa, non ricambia?».

«E come ringrazia? Come ricambia?» domandò Candido. Cominciava a capire, aveva preso quell'atteggiamento di gatto sonnacchioso in cui sempre nascondeva l'attenzione.

«Ringrazia, ecco, ricambia, offrendo una percentuale sul prezzo che gli sarà pagato... Il trenta per cento, ecco, sarebbe appena ragionevole, considerando che chi riceverà questo trenta per cento farà in modo che il terreno sia pagato al più alto prezzo possibile».

«E chi lo riceverà, questo trenta per cento?».

«Lei conoscerà soltanto me... E poi, non si tratta di una sola persona... Sono tanti, lei capisce...».

« No, non capisco » disse Candido alzandosi. Si alzò anche Zucco. Si guardarono negli occhi.

« Signor Zucco, io il terreno lo regalo » disse Candido. « E poiché, pensandoci bene, è il miglior terreno su cui possa sorgere un ospedale, se un altro posto sarà scelto saprò perché, e ne farò pubblica denuncia ».

« Ma come? Lei dà un calcio a una fortuna simile e vuole tradire anche me che gliela porto? ». E malinconicamente aggiunse: « Già, dovevo aspettarmelo ».

« Sì, doveva aspettarselo » disse Candido.

L'indomani andò in municipio portando al sindaco, scritta, l'offerta di una cessione gratuita di quel terreno. Il sindaco lo ringraziò, disse che la generosa offerta sarebbe stata ben vagliata; accettata, si capisce, non poteva assicurare: avrebbe deciso una commissione tecnica, con ponderazione, con oculatezza...

Candido raccontò tutto all'assemblea del partito. Ne ebbe, da quelli che stavano dietro il tavolo, approvazioni caute e l'assicurazione che il partito avrebbe vigilato sull'andamento della cosa. Un contadino si alzò per domandare com'è che avessero osato, ad un comunista, sapendo che Candido era comunista, fare una proposta simile. « Dieci anni fa » concluse « l'imprudenza di andare a fare un simile discorso a un comunista nessuno l'avrebbe fatta ». Dieci anni prima era vivo Stalin: questo pensava il contadino e tutti, conoscendolo, sapevano che lo pensava. Alcuni risero, altri lo rimproverarono. La domanda fece molta impressione a Candido.

Un mese dopo, Candido seppe che per l'ospedale avevano scelto altro terreno. Riagitò la questione all'assemblea del partito, ma con un tono che non piacque a quelli che stavano dietro il tavolo. Un tono accusatorio, dissero, che loro non meritavano e non tolleravano. Avevano fatto il possibile, perché venisse accettata l'offerta di Candido: ma erano state opposte ragioni tecniche che parevano incontrovertibili. E si sarebbe potuto, sì, fare appello ad altri tecnici, più bravi o meno interessati: ma col risultato di fermar tutto, e chissà quando la città avrebbe avuto il suo ospedale. «Vogliamo uno scandalo o un ospedale?» fu domandato all'assemblea. Quasi tutti volevano l'ospedale, Candido e qualche altro l'ospedale e lo scandalo. Si alzò a parlare il segretario. Un lungo discorso sulle cose del paese, sulla visione che il partito ne aveva, sul modo in cui il partito operava l'opposizione, la critica. Ogni tanto, sapientemente, dava un colpo a Candido: al suo esibizionismo, al suo amor proprio, alla sua condotta, al suo non tener conto degli avvertimenti del partito.

Tutti guardavano Candido, ogni volta che il segretario più o meno direttamente lo colpiva. Candido era tranquillissimo. Quando il segretario finì di parlare, poiché pareva che tutti si aspettassero dicesse qualcosa, Candido disse soltanto: «Compagno, hai parlato come Fomà Fomíč». E veramente soltanto questo aveva pensato, mentre ascoltava il segretario.

«Come chi?» domandò il segretario.

«Come Fomà Fomíč».

«Ah» fece il segretario. Sembrava sapesse chi era Fomà Fomíč. Invece, per due giorni si sarebbe arrovellato su quel nome.

Della difficoltosa indagine che il partito condusse per identificare Fomà Fomíč; e dei discorsi che su questo personaggio fecero Candido e don Antonio.

Fomà Fomíč. «Carneade! Chi era costui?... Carneade! questo nome mi par bene d'averlo letto o sentito; doveva essere...» (*I promessi sposi*, capitolo VIII). Doveva essere, secondo il segretario della sezione comunista, uno che aveva a che fare con la storia del partito nell'Unione Sovietica: poiché russo certamente era. Fomà Fomíč. Un teorico o un poliziotto? «Hai parlato come Fomà Fomíč». Certamente, Candido Munafò aveva voluto offenderlo pronunciando quella frase, quel nome. Doveva essere, Fomà Fomíč, uno dei tempi di Stalin, dei tempi di Beria.

Il segretario prese tutte le storie del partito e dell'Unione Sovietica di cui disponeva, cercò negli indici dei nomi Fomà Fomíč. Non c'era. Cercò nell'indice dei *quaderni* di Gramsci, cercò in ogni libro che riguardasse il comunismo e che avesse un indice dei nomi. Inutilmente. Pensò alla Cecoslovacchia, a quel che era avvenuto dopo la primavera di Praga: ma nelle cronache nessun nome che magari somigliasse a quello di Fomà Fomíč. Telefonò all'onorevole di Sales, uomo di formidabile cultura e informatissimo. Quel nome, disse l'onorevole, da qualche parte l'aveva sentito o letto: ma non poteva dire dove e quando, non riusciva a ricordare. Telefonò allora alla federazione regionale, al compagno che si occupava degli affari culturali e che tante volte era stato in Russia. Volle riferito, il compagno degli affari culturali, il contesto del discorso da cui era venuto fuori quel nome. Il segretario lo riferì minuziosamente. «Per essere russo, il nome è russo; posso anche dirti che significa Tommaso di Tommaso... Mi informerò». Quel nome corse così sul filo del telefono, arrivò a funzionari del partito che avevano trascorso vacanze in Russia e a parlamentari che lungamente vi avevano soggiornato da esuli. A tutti pareva di aver sentito o letto quel nome: ma non ricordavano quando, non ricordavano dove. Si passò ai docenti di storia, agli storici: erano certissimi di non averlo mai sentito né letto. Finalmente, dopo due giorni, un professore di letterature slave sciolse il mistero: Fëdor Dostoevskij, *Il villaggio di Stepàncikovo e i suoi abitanti*; romanzo umoristico; 1859. Esisteva una traduzione italiana? Esisteva, rispose il professore nuovamente interpellato: pubblicata a Torino nel 1927. Il segretario implorò gliene facessero avere una copia: gli serviva, disse, a motivare la proposta di espulsione dal partito di quel figlio di un cane che aveva fatto perdere tanto tempo, a tante persone, dietro Fomà Fomíč. La federazione regionale gliela procurò. Il segretario ne fece rabbiosa lettura. Un romanzo umoristico, un personaggio comico: c'era da fargliela pagare, a quel Munafò.

Di questa febbrile ricerca qualcosa si seppe fuori del partito; e poi, nell'assemblea convocata per cacciare Candido dal partito, il segretario parlò a lungo del personaggio, per dire che non vi si riconosceva e che un comunista che vedeva un Fomà Fomíč nel segretario della sezione cui apparteneva senz'altro era indegno di essere comunista. Sicché restò appiccicato, al segretario, il soprannome di Fomà Fomíč: col quale anche dai compagni di altri paesi, poiché ha fatto carriera, è oggi conosciuto.

Intanto che nel partito, con efficienza e tenacia, si inseguiva quel nome, Candido e don Antonio parlavano del personaggio, ne discutevano. E in questo senso: che Candido davvero vedeva questo grande partito, da cui certamente stavano per farlo uscire, devoluto nella sua organizzazione a tanti Fomà Fomíč, personaggio che vedeva nella stessa negatività – letterato inconcluso e inconcludente, *tartuffe* – in cui Dostoevskij l'aveva visto; mentre don Antonio, pur essendo d'accordo che i quadri del partito fossero in parte formati dai Fomà Fomíč, non vedeva il personaggio e i personaggi che gli somigliavano in quella negatività: Dostoevskij, diceva don Antonio, *malgré lui*, aveva dato al personaggio una carica di positività, di positiva efficienza, di positiva azione; e adduceva ad esempio la scena in cui ottiene che il colonnello gli dia il titolo di eccellenza che non gli spetta. Ed era, sì, un romanzo inquietante, nonostante l'etichetta di umoristico che l'autore vi aveva apposta: nel senso che lo si poteva anche assumere come prefigurazione e premonizione di un destino del partito comunista, dei partiti comunisti, del mondo comunista; ma a volerlo così assumere bisognava essere conseguenti della stessa conseguenza del romanzo e riconoscere che Fomà, infine, rende felici tutti. «Sì» disse Candido «ma di una felicità che senza Fomà tutti potevano aver prima». Don Antonio disse che questo non si poteva dire: una felicità ottenuta facilmente prima non è la stessa di una felicità ottenuta difficoltosamente dopo; non si può nemmeno dire felicità quella di cui si gode inconsapevolmente, senza essere passati attraverso la sofferenza. Candido obiettò che un simile aforisma non aveva niente a che fare col marxismo; e don Antonio ammise che col marxismo non aveva niente a che fare, ma con la vita sì, e con l'uomo. Tornando a Fomà, disse che si poteva in questo personaggio intravedere – in quel che questo personaggio suscita a Stepàncikovo in divieti, paure e autocritiche – piuttosto una prefigurazione di Stalin e dello stalinismo. Ma in questo Candido non fu completamente d'accordo: non di Stalin, ma dello stalinismo dopo Stalin, dello stalinismo della destalinizzazione. Sotto questo aspetto, l'analogia tra il romanzo e la realtà storica era precisa, indefettibile: la destalinizzazione era venuta da coloro che avevano tanto temuto Stalin da divertirlo, da coloro che Stalin aveva ridotto al rango di buffoni; e appunto Fomà Fomíč, così come Dostoevskij ce lo racconta prima di farcelo incontrare, era un piccolo despota venuto fuori dalla scorza del buffone, qual prima era stato per il defunto generale Krachòtkin.

«Sei stalinista» disse don Antonio. E poiché Candido stava per protestare «No, non te ne faccio un'accusa: dopo Bonaparte, furono coloro che non lo erano stati e coloro che non lo sarebbero stati ad essere bonapartisti, e cioè i migliori, e cioè i giovani... Tu non ammetti che si possa paragonare Stalin a Fomà Fomíč: e pure la differenza tra loro è soltanto quantitativa e, per così dire, di genere letterario: tante più vittime, e definitivamente vittime, Stalin; poche, di passeggera sofferenza, destinate al lieto fine, Fomà. La tragedia, la commedia... Ma vedi: Stalin stava al marxismo così come Arnobio stava al cristianesimo. In entrambi era un grande e totale disprezzo per l'uomo, per l'umanità; un gigantesco pessimismo. Arnobio credeva si potesse avere salvezza soltanto dalla Grazia, la forza dell'uomo essendo naturalmente insufficiente al raggiungimento del bene. E anche Stalin: solo che la Grazia di Stalin era la polizia: una Grazia che si manifestava diciamo per esclusione, mentre quella di Arnobio per inclusione... Una Grazia, quella di Stalin, che graziava coloro che non toccava... E sto pensando ad Arnobio, è il caso di dire, non gratuitamente... Sai chi l'ha scritta la cosa più viva, direi anche la più commovente, sui suoi sette libri dell'*Adversus nationes*? Concetto Marchesi, il più strenuo stalinista, o almeno il più scoperto, che il nostro partito abbia tollerato dopo il rapporto Chruščëv».

«Il nostro partito» fece eco Candido con amara ironia. «Può senz'altro dire "il mio", ché mi cacceranno via di sicuro».

«Eh sì: il mio... Perché, vedi, io non posso che restarci: spretarmi due volte, nel giro di pochi anni, è un po' troppo».

«Lo so... Torniamo allo stalinismo: è un argomento che mi interessa» disse Candido.

«Torniamoci» disse don Antonio. E ambiguamente aggiunse: «Ci torneremo sempre».

Della scomparsa di Paola; e di quel che dimenticò di portar via.

Candido fu cacciato via dal partito: con votazione quasi unanime, poiché soltanto don Antonio non alzò la mano. E non soltanto perché conosceva Candido e gli voleva bene, non alzò la mano; ma perché quel modo di votare contro qualcuno molto somigliava allo scagliare una pietra: e quindi contro nessuno, mai, avrebbe alzato la mano. Quando disse queste sue ragioni a quelli che, da dietro il tavolo, lo avevano scrutato al momento della votazione, ne ebbe sorriso di compatimento e la battuta che il Vangelo non aveva niente a che fare col partito.

Candido non se la prese poi tanto. Sosteneva di essere un comunista senza partito, contro don Antonio che sosteneva l'impossibilità di essere comunisti fuori del partito. E certo, qualcosa gli mancava, gli era venuta a mancare. Ma aveva ancora Paola, l'amicizia di don Antonio, il lavoro in campagna, i libri. Paola, però, da quell'espulsione di Candido dal partito sembrava essere stata colpita più dello stesso

Candido. Se ne faceva colpa. Candido aveva un bel dirle che non gliene importava, di essere fuori del partito: Paola sempre più vi si arrovellava, sempre più si mostrava scontenta di sé, incupita e quasi scontrosa. Scontrosa verso Candido che lei diceva di aver portato a quella prima piccola rovina, cui altre più grandi potevano seguirne: e così, immaginando rovine, finiva col creare le condizioni perché si realizzassero.

Tornando dalla campagna, un paio di mesi dopo l'espulsione dal partito, Candido non trovò Paola a casa. Trovò, sul tavolo di cucina, una lettera: «Caro Candido, me ne vado. Non voglio continuare a farti del male: una donna come me è meglio perderla che trovarla. Ti voglio tanto bene. Paola».

C'era un poscritto: «Porto via delle cose a cui so che non tieni: mi serviranno per tornare ad affrontare una vita che sarà, senza di te, difficile e infelicissima».

Candido pianse. Pianse per tutta la notte, pianse l'indomani, pianse nei giorni che se ne stette chiuso in casa, aggirandovisi nel ricordo di lei, toccando le cose che lei ogni giorno aveva toccato. Beveva caffè, piangeva, a momenti cadeva in un sonno che non era sonno, uno stordimento doloroso e delirante. Al terzo o quarto giorno, non sapeva più, venne don Antonio, preoccupato di non averlo visto. Candido gli mostrò la lettera: senza dire una parola e piangendo.

Don Antonio lo abbracciò. Non trovava parole, di fronte a quel dolore. Le prime che poi trovò furono però queste: «Ma che cosa ha portato via?». Candido fece con la mano un gesto che voleva dire non so e non me ne importa; ed anche voleva dire insofferenza a quella gretta domanda. Don Antonio ne ebbe mortificazione. «La povertà vissuta nell'infanzia» disse «anche se poi tu la scegli, la invochi, ne fai ragione di gioia, quando meno te l'aspetti e vorresti viene fuori in meschinità e malvagità... Io sono in questo momento meschino e malvagio, poiché voglio scoprire meschina e malvagia la persona che ti fa soffrire... O forse voglio fare il conto di quel che ha portato via perché tu soffra di meno... Non so, sto annaspando anche dentro di me... Ma il fatto è che voglio saperlo: che cosa ha portato via?».

Candido avrebbe voluto rispondere che aveva portato via tutto, che aveva portato via la sua vita. E stava per dirlo. Ma ne ebbe pudore, come di una menzogna: ché in una parte di sé, al momento oscura e minima dietro l'estesa e violenta luce del dolore, sentiva il suo amore alla vita come una radice ferma e tenace, che si sarebbe diramata sotto quel campo di pena. In un lampo persino dubitò, del proprio dolore: come di una finzione, tanto forte da arrivare all'immedesimazione, ma pur sempre finzione – all'immedesimazione in un personaggio innumerevolmente e identicamente esistente.

«Che cosa ha portato via?» domandò ancora don Antonio.

Candido cominciò ad aprire sportelli e cassetti: automaticamente, velocemente, guardando quasi senza vedere. Tornò a sedere nella poltrona dove da tre o quattro giorni stava seduto. Più indovinando che sapendo, nonostante la ricognizione appena fatta, e per appagare la curiosità di don Antonio, disse: «Ha portato via del denaro, un po' di oro, forse anche l'argenteria». Restò a fissare un punto dietro le spalle di don Antonio: tanto a lungo e con così indecifrabile espressione che don Antonio si voltò a guardare. C'era una consolle, due candelabri d'argento sopra.

«I candelabri» disse Candido. «Ha dimenticato i candelabri. Sono molto antichi, forse valgono più delle altre cose che si è portate... Farò in modo che li abbia».

Dio mio, pensò don Antonio, come sono false le cose vere! Siamo a monsignor Myriel, a Jean Valjean, ai *Miserabili*. O la nostra vita è ormai tutto ciò che è stato scritto?... Crediamo di vivere, di esser veri, e non siamo che la proiezione, l'ombra delle cose già scritte.

Il pensiero di don Antonio raggiunse Candido, il ricordo delle pagine lette non molti anni prima gli si dispiegò.

«Sto recitando» disse. «O forse sto cominciando a disprezzarla. Il pensiero di farle avere i candelabri mi è venuto, ora lo so, tra la finzione e il disprezzo. Non è stato un pensiero d'amore. Anche allora, quando ho letto *I miserabili*, ho pensato che monsignor Myriel andasse al di là dell'amore, che il suo amore traboccasse nel disprezzo... Lei sapeva bene quel che voleva, quando mi ha domandato che cosa avesse portato via: voleva immiserire e immiserirmi... Ed ecco: mi sono immiserito. È contento?».

«No, non sono contento. La miseria è mia, davvero... E voglio dirti una cosa che forse accrescerà la tua sofferenza: sono convinto che lei ha portato via quel che ha portato via soltanto per devastare in te la sua immagine, perché tu, appunto, la disprezzassi...».

«Siamo al melodramma» disse Candido. Poi, dopo un lungo silenzio, stancamente disse: «Ma le cose sono sempre semplici». Chiuse gli occhi. Dopo un po', don Antonio si rese conto che dormiva: pesantemente, senza respiro.

Credeva, riaprendo gli occhi, di trovare davanti a sé don Antonio, di dover spiegargli perché le cose sempre sono semplici e semplice era quel che gli era capitato: ma erano passate ore, don Antonio se ne era andato.

Sentì di aver fame. La fame gli si accese in fantasia: pane appena sfornato, spaghetti odorosi di aglio e di basilico, salsicce gocciolanti di grasso sulla brace.

Trovò del pane raffermo e del burro, cominciò a biascicarne. Il dolore era ora un quieto fantasma: come uscito da lui, si nascondeva nel buio e nel silenzio della casa.

99

Candido parlò col fantasma, con Paola, con don Antonio, col segretario del partito, con l'universo. Propriamente parlò; e, come sdoppiato, ascoltandosi. Era come un delirio: ma si poteva assomigliare, visivamente, a quelle rovine di antiche costruzioni di cui nessun pezzo manca, solo che bisogna uno ad uno alzarli e giustapporli. Compito cui siamo scarsamente adatti, non amando nessuna specie di rovine. E possiamo dire solo questo: che dai frammenti della sua storia d'amore con Paola, che Candido raccontò e si raccontò, restava un senso di gioia, di felicità, che quella fine – la fuga di Paola, il modo come era fuggita – non riusciva a turbare e intorbidare. Che Paola se ne fosse andata sacrificando il suo amore per lui o liberandosene, non aveva importanza. Il fatto è che se ne era andata: e soltanto i fatti contano, soltanto i fatti debbono contare. Noi siamo quel che facciamo. Le intenzioni, specialmente se buone, e i rimorsi, specialmente se giusti, ognuno, dentro di sé, può giocarseli come vuole, fino alla disintegrazione, alla follia. Ma un fatto è un fatto: non ha contraddizioni, non ha ambiguità, non contiene il diverso e il contrario. Che Paola se ne fosse andata significava una sola cosa, per lui: che qualcosa era accaduto tra loro che aveva spezzato l'armonia del vivere insieme, la gioia dei loro corpi. Un fatto. Domandare, inquisire, inseguire non sarebbe valso se non a complicare dolorosamente tutto che era stato semplice, vero. Si erano incontrati nella verità dei loro corpi, in quella gioiosa verità erano stati assieme. Poi, forse, il corpo di Paola aveva ceduto all'anima. All'anima immortale, all'anima sentimentale, all'anima bella: ed ecco che la gioiosa verità del corpo le si era appannata, le si era stravolta; era diventata un bene inferiore. La tentazione, la menzogna: come nel libro del Genesi. Solo che la tentazione era stata l'anima: l'immortale o la sentimentale o la bella. È l'anima che mente, non il corpo. «Il nostro corpo è il buon cane che guida il cieco». E su

questo pensiero, che gli era venuto netto e soccorre-
vole tra i suoi fusi e confusi, così come sempre netti e
soccorrevoli sono i pensieri già da altri pensati, in
certi momenti in cui i nostri vacillano, Candido di
nuovo stramazzò nel sonno.

Della decisione che Candido prese di liberarsi delle terre e di viaggiare; e di come i suoi parenti si adoperarono a liberarlo.

Senza di Paola, il tempo era per Candido fermo e duro come un macigno, si era come contratto e conficcato nel presente: e a tentare di rivoltarlo, non sarebbe apparso che il passato. C'era il lavoro, c'erano i libri, c'erano le conversazioni con don Antonio: ma tutto era ripetizione, noia, pena.

Candido decise che doveva fare qualcosa di sé, della sua vita: muoversi per tentare di muovere, dentro di sé, l'amore alla vita che sentiva di non aver perduto.

Ne parlò dapprima con don Antonio, che approvò. Poi andò a parlarne al segretario del partito – del partito da cui il segretario lo aveva fatto cacciar via. Gli disse che aveva deciso di cedere le sue terre al partito, a una cooperativa di contadini e di tecnici che si formasse dentro il partito. Non sapeva come, con quali modalità, con quali atti legali: ma vedessero loro, nel partito, poiché tante ne avevano fatte, di cooperative, nell'Italia del Nord.

Il segretario lo ascoltò con un raggelato sogghigno. Poi disse «E chi credi di essere, Tolstoj?». Era la sua più immediata vendetta contro il Dostoevskij cui Candido aveva fatto ricorso in assemblea per, credeva, dileggiarlo; e cioè contro il misterioso Fomà Fomíč che Candido aveva evocato e il cui nome – ormai lo sapeva – come soprannome gli era rimasto appiccicato.

Candido non si aspettava una simile battuta. Non sentendo ombra di rancore nei riguardi del segretario, non avrebbe mai immaginato che il segretario ne sentisse per lui. Arrossì e si sentì come in colpa. Ma il segretario credette di averlo colpito in modo che ancor più Candido lo odiasse, poiché si riteneva odiato per la storia dell'espulsione. Diventò dunque più loicamente aggressivo. Disse: «Punto primo: dove li trovo i contadini per formare una cooperativa? Quei pochi che ci sono, preferiscono andare a lavorare a giornata nelle terre altrui: non riuscirei mai a convincerli a tentare un esperimento di cooperativa. Tra l'altro, diffidano uno dell'altro e di te e di me e del padreterno... Punto secondo: ammesso che ci fossero le condizioni per accettare la tua proposta, mi caccerei in un inghippo giudiziario senza fine; e ci caccerei il partito. Né ci faremmo bella figura, il partito ed io: si direbbe, e a ragione, che abbiamo profittato di un imbecille... Punto terzo: a giocare d'astuzia con me, è tempo perso; chi può imbrogliare il sottoscritto non è ancora nato, e forse non nascerà mai».

«Chi è l'imbecille?» domandò Candido. «Chi è che vuole giocare d'astuzia?».

«Tu, mio caro».

«Imbecille e voglio giocare d'astuzia... Ma perché, ma come?».

«Perché e come lo sai benissimo».

«Ti giuro che non so e che non capisco». E lo disse con tale disperazione che il segretario ne ebbe, col dubbio che non sapesse e che non capisse, la certezza che imbecille propriamente era.

«Non sai che i tuoi parenti hanno cominciato l'azione giudiziaria per farti interdire?».

«E che vuol dire?».

«Vuol dire che vogliono toglierti tutto quello che hai».

«Non lo sapevo» disse Candido.

«Se non lo sapevi, è un conto» disse il segretario. «Ma se lo sapevi, e sei venuto qui per fare in modo che il partito ed io ci trovassimo nella trappola di assumere la tua causa contro i tuoi parenti, di difenderti da loro, di sostenere la tua sanità mentale: e allora è un altro conto, un conto che hai fatto male».

«Non lo sapevo» disse Candido. «E ti chiedo scusa: ma solo per averti fatto perdere del tempo, non per aver tentato di imbrogliarti».

Andò da don Antonio, a raccontargli tutto. Don Antonio se ne infuriò: contro il segretario, e più contro i parenti di Candido. Ma Candido si sentiva bruciare più dal fatto che il segretario lo avesse creduto capace di ordire un inganno che da quello che i suoi parenti volessero farlo interdire. Anzi, si sentiva come alleviato, come confortato, dal fatto che i suoi parenti stessero cercando, a loro modo e sia pure a loro vantaggio, una soluzione a quel suo problema di liberarsi delle terre, della proprietà. Ci si era appassionato, ci aveva lavorato: ma senza alcun senso della proprietà, del possesso; come se il coltivare al meglio la terra, il renderla più produttiva, più ordinata, più netta, appartenesse alla giustezza del vivere e niente avesse a che fare col reddito, col denaro. Qualcosa che somigliava all'amore. All'amore per Paola. E ora che Paola se ne era andata, quel suo lavoro di ogni giorno gli appariva come degradato: fatica, soltanto fatica nel giro sempre uguale delle stagioni; così come sempre era stato per i contadini, mai contenti, sempre a maledire pioggia o sole, grandine e brinate, la fillossera che si attaccava alle vigne e il mal nero che si attaccava al grano. Ed era la più vera allegoria della vita, quella che ogni giorno la campagna apriva sotto l'occhio del contadino: fatica ogni giorno insidiata, spesso annientata; mali che invisibilmente insorgevano e inesorabilmente si propagavano. E anche quei mali, coi nomi che i contadini gli davano, facevano allegoria della vita: il male nero, il male bianco, il male rosso.

L'indifferenza di Candido alle manovre dei parenti per farlo interdire a don Antonio non piaceva. Non concepiva nemmeno che uno si facesse spogliare del proprio così quietamente: per quanto ingiusta la proprietà, per quanto ingiuste le leggi che la garantivano... E poi, per di più, con una patente di imbecillità. Si diede perciò ad indagare alacremente su quella manovra: chi precisamente dei parenti di Candido la muoveva; come fosse motivata l'istanza; chi ne fosse l'avvocato e chi il giudice; a che punto ne fosse il corso nel labirinto giudiziario e che cosa il giudice ne pensasse. E seppe tutto nel giro di pochi giorni.

I fratelli e le sorelle del padre di Candido avevano sempre sperato, come sappiamo, di mettere le mani sui beni lasciati dal loro fratello: come ad eseguire la volontà di diseredare Candido che l'avvocato Francesco Maria Munafò avrebbe certamente attuato, se ne avesse avuto il tempo. Ma a fermare questa loro speranza c'era stato dapprima, dalla parte di Candido, il generale: uomo di potenti relazioni, e per un passato che non era passato, e per un presente che somigliava al passato. Disgustatosi il generale di Candido, fuori Concetta e dentro quella donna, le loro speranze si alzarono. Ma a far da remora intervenne il fatto che Candido si era iscritto al Partito Comunista, che certamente lo avrebbe protetto e assistito.

L'espulsione di Candido dal partito fu per loro

come un segnale di via libera. Saggiarono i sentimenti del generale e di Concetta: ma il generale di Candido non voleva nemmeno sentir parlare; mentre Concetta ne voleva sentir parlare e ne parlava, ma come di uno sciagurato che, da lei allevato con ventennale amore e sacrificio, appunto correva verso una sciagurata fine. Né trascurarono di saggiare l'opinione della gente; ed era, unanimemente, questa: che una donna come Paola *se lo sarebbe mangiato vivo*: e per l'ars amandi in cui indubbiamente era espertissima, e per l'avidità di denaro, che in una donna come lei doveva essere fortissima e spietata. Ma mentre preparavano l'istanza, ecco che Paola era fuggita: e poiché, si sapeva, era andata via in un'ora che Candido non c'era, e portando con sé pesantissimi bagagli, il sospetto che quella donna derubasse Candido diventava certezza che l'avesse derubato.

Don Antonio riuscì anche ad avere una copia dell'istanza. A generica dimostrazione dell'imbecillità di Candido si mettevano due fatti che, a voler essere sottili, stavano tra loro in contraddizione: che, da grosso proprietario di terre qual era, si era iscritto al Partito Comunista che, come è noto, la terra la vuol dare ai contadini; e che, dopo circa un anno, per la sua esibizionistica mania di regalare le proprie terre, molto saggiamente dal partito era stato espulso. Si passava poi a una più particolareggiata dimostrazione: e ne erano elementi l'offerta di donare al comune una estensione ragguardevole di terreno, valutabile a parecchi milioni di lire; le spese folli che aveva fatto sulla terra per apportarvi delle discutibilissime migliorie; il convivere con una donna di ignota estrazione, che aveva avuto umilissime funzioni in casa di suo nonno: convivenza ritenuta scandalosa dalla donna che lo aveva allevato (Concetta Ministeri, di anni cinquantuno, ora al servizio dell'onorevole Arturo Cressi: da sentire come testimone), riprovata dal nonno (generale onorevole Arturo Cressi: da sentire anche lui come testimone) e finita, tale convivenza, con la fuga della donna da casa Munafò e presumibilmente – come tutti in città presumevano – portando seco oggetti di valore del patrimonio Munafò.

«Che bello: con una simile istanza» disse Candido «la terra di sicuro me la tolgono».

Del colloquio che Candido ebbe con un giudice e uno psi-chiatra; e della sentenza di interdizione che ne seguì.

Zie e zii, le zie coi loro mariti, sedevano allineati nell'anticamera del giudice. Sei, più il loro avvocato: in quella piccola stanza, una folla. Candido li salutò allegramente. Sospettosi di quell'allegria, fredda-mente gli risposero. Ma una delle zie aggiunse al saluto: «Lo facciamo per il tuo bene». Candido rispose: «Lo so» pensando che davvero la zia ne fos-se convinta, e anche tutti gli altri. Tante cose si fan-no per il bene degli altri che diventano il male degli altri e il proprio. Così Paola se ne era andata. Così questi volevano salvargli la roba o, se non salvarglie-la, salvarla. La roba, il patrimonio Munafò: una spe-cie d'astrazione su cui si sarebbero poi tra loro dila-niati.

Furono chiamati prima loro, nell'ufficio del giu-dice. Si precipitarono sgomitando, quasi che non ci fosse posto per tutti e gli ultimi temessero di restar fuori. Stettero dentro per circa un'ora; e ne usciro-no meno cupi, quasi contenti; e più contento di tutti il loro avvocato. Salutarono Candido e sciamarono fuori. Dalla porta dell'ufficio del giudice il cancelliere chiamò: «Munafò Candido» e Candido varcò la soglia dell'ufficio. Dietro una scrivania stava il giudice: una faccia dura innaturalmente aperta a un sorriso, i capelli folti e neri sulla fronte bassa. Alla sua destra, ma come in disparte, sedeva un uomo magrissimo, gli occhi spiritati, la mano che continuamente entrava a pettine tra i capelli scomposti, nervosamente. Dietro una scrivania più piccola, il cancelliere.

Il giudice si alzò a mezzo per stringere la mano a Candido, presentò: «il professor Palicatti» il signore che stava alla sua destra e che, come saluto, fece un batter di palpebre. Candido sedette, per come il giudice con un gesto lo invitò, davanti ai due. Il giudice lo scrutava, il professor Palicatti lo fissava con uno sguardo sperso e spento.

«Dunque...» cominciò il giudice. «Dunque...». Aggiustò delle carte, toccò penne e matite, sembrò tra loro trovare le parole da appendere al dunque. «Dunque, come lei sa, i suoi parenti vogliono farla interdire... E lei che ne dice?».

«Niente: è lei che deve dirne qualcosa».

«Giusto: sono io che debbo dirne qualcosa... Io e il professor Palicatti... Il professor Palicatti» spiegò «è uno psichiatra».

«Ah» fece Candido. Non se l'aspettava, ma doveva aspettarselo, che ci sarebbe entrato lo psichiatra.

«E dunque» riprese il giudice «lei non ne dice niente di questa azione dei suoi parenti per farla interdire».

«Posso dire che è una follia, da parte loro, prendersi carico di badare alle mie cose».

«Una follia, lei dice». Il giudice sembrava soddisfatto. «Una follia... Benissimo... Che gliene pare, professor Palicatti?».

Il professore alzò la mano destra in un gesto che poteva essere di condanna, di assoluzione, di attesa, di indifferenza.

«Insomma» incalzò il giudice «lei non considera riprovevole l'azione dei suoi congiunti per toglierle la disponibilità del patrimonio».

«Da un punto di vista personale, egoistico, arrivo a considerarla una buona azione».

«Sente?» domandò il giudice al professore. La sua soddisfazione ora si manifestava con un sogghigno.

«Sento, sento» disse il professore con una certa irritazione.

«Ma allora» domandò il giudice «perché lei, spontaneamente, senza arrivare a questo» agitò la mano sulle carte che aveva davanti come a frullarle «non ha offerto ai suoi parenti l'amministrazione del patrimonio, la cura, la salvaguardia?».

«Non me l'hanno chiesto. E poi pensavo che fosse un chiedere troppo».

«Ah, un chiedere troppo... Benissimo...». Lanciò un'occhiata interrogativa al professore ma subito, incontrando il vuoto, la ritrasse.

«E poi» aggiunse Candido «dal momento che c'è la legge e che loro si sono rivolti alla legge, è meglio fare le cose in regola, appunto secondo la legge, secondo la giustizia».

«Secondo la legge, secondo la giustizia... Bello» disse il giudice «molto bello». Restò assorto, come invaghito della bellezza di quelle due parole, di quelle due idee: la legge, la giustizia. Poi disse: «Per quanto mi riguarda, può bastare... Lei, professore, ha qualche domanda da rivolgere al nostro amico?». L'espressione «nostro amico» e il tono in cui la pronunciò, a Candido fu rivelazione che il giudice lo considerava ormai pienamente meritevole dell'interdizione che i parenti avevano chiesta.

«Tante domande» disse il professore.

«Le faccia» invitò il giudice.

«Ecco, io» disse il professore «desidererei sapere qualcosa della sua espulsione dal Partito Comunista».

Candido raccontò ordinatamente la storia.

«L'interdizione» disse il professore quando Candido finì di raccontare «io la darei al Partito Comunista».

«Ma come» si stupì il giudice «lei non è comunista?».

«Lo sono» disse il professore «ma, diciamo, un po' refoulé».

«Oh dio... Cinese?» domandò preoccupato il giudice.

«Non precisamente... Comunque, non si preoccupi: passerò questo caso a un mio collega, che è socialdemocratico... Un uomo coscienzioso, un bravissimo medico... Ma il signor Munafò deve, comunque, entrare in ospedale per un paio di giorni: in osservazione... Non si può così, su due piedi...».

«Va bene, va bene...» tagliò il giudice. «Ne parleremo ora... Lei, signor Munafò, intanto può andare».

E fu così che Candido stette per due giorni in manicomio. Ben trattato. Ma gli veniva da impazzire, a vedere come gli altri erano trattati. E anche se non impazzì, dal medico bravo, coscienzioso e socialdemocratico si ebbe quella patente di imbecillità che il giudice, i suoi parenti e lui stesso si aspettavano.

Della festa che i parenti fecero a Candido, a premio del suo comportamento davanti al giudice e ai medici; e dei guai che ai parenti vennero da quella festa.

Dei fatti che corsero intorno alla sua interdizione, due restarono di indelebile significato nella memoria di Candido: la rinuncia del professor Palicatti al suo caso e l'improvviso, divampante affetto di cui, a interdizione sentenziata, i suoi parenti lo circondarono.

Il professor Palicatti era il primo esemplare di comunista che sta alla sinistra dei comunisti in cui Candido si imbatteva. Aveva sentito che c'erano, ma mai ne aveva incontrati. La disinvoltura con cui il professore, pronunciata una battuta sul Partito Comunista e suscitato il sospetto del giudice, si era lavate le mani dal giudicare secondo scienza e coscienza, lo aveva terribilmente impressionato. Lo aveva poi incontrato in ospedale, il professore; gli si era avvicinato, si era fatto riconoscere. «Ah sì» aveva detto il professore «mi ricordo...». Come fossero passati cinque anni e non cinque giorni da quando si erano incontrati nell'ufficio del giudice. «Ma, caro amico, di questi sordidi casi io sempre me ne lavo le mani... Il denaro, la roba: crede che me ne importi se restano a lei o passano ai suoi parenti? Distruggerli, bisogna, distruggerli: il denaro, la roba, lei, i suoi parenti...» e se ne andò furiosamente spettinandosi. Candido restò stupefatto, e soprattutto di quel «caro amico» che aveva come fatto eco a quello del giudice.

In quanto ai parenti, dal modo come lui aveva consentito alla loro istanza e l'aveva, davanti al giudice e al medico, di fatto confermata come giusta, a Candido pareva ne avessero tratta la convinzione che volesse loro del bene; e quindi, col rimorso di non avergliene voluto per tanti anni, ora erano in ansiosa disposizione di dargliene. E poiché Candido aveva detto loro della sua decisione di partire, e forse di mai più tornare (decisione che in cuor loro entusiasticamente approvavano e speravano durasse), tutto quell'affetto di cui si sentivano in debito per il passato e avrebbero voluto versargli nell'avvenire, decisero di concentrare e manifestare in una riunione di famiglia plenaria, ricca; quasi una festa.

Quei suoi parenti che ora gli volevano tanto bene, Candido li conosceva appena. Due zie, due zii, i mariti delle zie, le mogli degli zii; e una dozzina di cugini e cugine. E c'erano poi altri, di parentela più larga. Candido confondeva facce e nomi, tribolò per buona parte della serata. Poi, finalmente, da quella folla che era come un mazzo di carte continuamente rimescolato, venne fuori la figura buona: quella non più confondibile e a cui affidarsi, come sempre capita ai timidi e agli smarriti che si trovano in numerosa e ignota compagnia. Sua cugina Francesca, figlia della zia Amelia. Non si poteva dire bella, ma era negli occhi e nel sorriso luminosa. Intelligente, vivace, pronta alla battuta scherzosa e al giudizio tagliente. Si attaccò a Candido e Candido a lei: per tutto il resto della serata, e cioè fino all'alba.

Quando si salutarono, Francesca disse a Candido: «Voglio venire con te». Lo disse sorridendo, come per scherzo, come pronta a ritrarsene, a sfuggire; ma c'era nella sua voce una nota tremula, di pianto.

«Dove?» domandò Candido.

«Dovunque». E lo disse con una faccia seria, decisa.

Candido tornò a casa domandandosi se stava per innamorarsi o se si era già innamorato. Decise, comunque, di affrettare la partenza. Ma l'indomani, mentre andava in campagna, improvvisamente sentì al rombo della sua motocicletta aggiungersene un altro, sempre più vicino. Francesca correva alla sua sinistra, il volto pallido e deciso, i capelli al vento. «Ti voglio bene» gridò. «Anch'io» gridò Candido.

Passarono assieme un paio d'ore, camminando per la campagna. E una settimana dopo partirono assieme.

Per i genitori di Francesca, per gli zii e le zie di Francesca e di Candido, per la parentela tutta, fu una disfatta e un disfacimento. Sul primo momento, tutti furono concordi contro Candido: che per la famiglia Munafò aveva segnato, fin dalla nascita, sventura; che sarebbe stato saggio non impicciarsi di lui e della sua roba; che uno come lui, nato male e vissuto peggio, altro non poteva che corrompere e devastare ogni cosa buona e bella... Poi le opinioni cominciarono a diventare diverse, le parti a dividersi. I genitori di Francesca si calarono nella speranza che l'unione della loro figlia con Candido trovasse legalizzazione e santificazione nel matrimonio: e quindi che fosse tolta a Candido quell'interdizione per cui tanto avevano lavorato ad ottenerla. Ma gli altri erano di diverso avviso, non volevano mollare la custodia dei beni. Si accesero litigi. Ci fu qualche zuffa. Si stabilirono solide inimicizie.

Candido e Francesca ne seppero poi qualcosa: ma come notizia da un mondo lontano, da un tempo remoto.

Dei viaggi che Candido e Francesca fecero; e del loro lungo soggiorno a Torino.

Candido aveva ancora del denaro, anche se molto ne aveva speso nella campagna. Il denaro accumulato dagli avari viene fuori da tante parti, da tanti buchi: e ci vuole quella specie di avarizia che è chiamata prodigalità, perché presto da tante parti si disperda. Candido ne aveva speso: giudiziosamente, anche se folli erano state considerate le sue spese nella sentenza di interdizione; e ancora ne aveva. Aveva già deciso, prima di incontrare Francesca, di spenderlo in viaggi; e Francesca era della stessa idea. Si sarebbero poi messi a lavorare.

Francesca aveva sempre desiderato di andare in Spagna; Candido in Francia. Andarono in Spagna e in Francia. E poi anche in Egitto, in Persia, in Israele. Ma tutto era sempre come degradato rispetto a quel che ne avevano immaginato. Soltanto Barcelona, per la gente, e Parigi, per ogni cosa, non furono delusioni. Ma il bello del loro viaggiare era nell'amarsi, nel fare all'amore: come se l'essenza dei luo-

115

ghi ridiventasse nei loro corpi fantasia; come se fantasia di quei luoghi, o memoria, fossero i loro corpi stessi.

Avventure, contrattempi e disguidi non ne ebbero. Amandosi e amando tutti – i camerieri, gli autisti, le guide, i vagabondi, i bambini dei quartieri popolari, gli arabi, gli ebrei – da tutti si sentivano amati. Furono anche spettatori di cose che sapevano potessero accadere e accadevano, che lette su un giornale sarebbero scivolate via senza lasciar tracce: ma viste restavano indelebili ed emblematiche. A Madrid, il giorno in cui si celebrava l'anniversario della guerra civile che Franco aveva vinto, accanto al «generalisimo» che sembrava come confitto in una barocca lastra tombale (Candido ricordava la fotografia che suo nonno si teneva in camera da letto), videro, attento e sorridente alla parata militare che sotto scorreva, l'ambasciatore della Cina di Mao. E al Cairo, piena di russi come Roma di americani, in un caffè appunto pieno di russi (tecnici, si diceva: e andavano sempre in gruppo, col passo e l'attenzione di una ronda militare), videro la polizia arrestare uno studente perché, spiegò poi un cameriere, sospettato di comunismo. La Cina comunista che rendeva omaggio a una vittoria del fascismo, la Russia comunista che aiutava un governo che metteva in carcere i comunisti: chi sa quante di queste contraddizioni, incongruenze e assurdità ci sono nel mondo – si dicevano Candido e Francesca – che ci sfuggono, che non vediamo, che vogliamo lasciarci sfuggire e non vedere. Ché a vederle, le cose si semplificano: e noi abbiamo invece bisogno di complicarle, di farne complicate analisi, di trovarne complicate cause, ragioni, giustificazioni. Ed ecco che a vederle non ne hanno più; e a soffrirle, ancora di meno.

Al ritorno in Italia, vagarono a scegliere una città in cui fermarsi e trovare lavoro. A Candido piaceva Milano, a Francesca Torino. Decisero di fermarsi a Torino. Don Antonio li raccomandò a un prete spretato e a un prete che stava per spretarsi: questo trovò lavoro a Francesca in un asilo infantile, quello a Candido in una officina meccanica. Andarono ad abitare in via Garibaldi, piena di siciliani. Avevano come ritrovato il loro paese. E ritrovarono anche il Partito Comunista, grazie ai due preti. Era molto diverso che nella loro città. I comunisti, qui, sapevano tutto del comunismo. Ma era un saper tutto che finiva con l'essere un saper nulla. Lì non sapevano nulla: ed era come se sapessero tutto.

Candido non nascose ai compagni di Torino la storia della sua espulsione dal partito, la raccontò minuziosamente. Quelli che la sentirono fecero il commento che laggiù, in Sicilia, poteva accadere di tutto, e accadeva; e anche, purtroppo, nel Partito Comunista. Dissero che, col tempo e, si capisce, col consenso di quelli che lo avevano espulso, lo avrebbero riammesso. Ma, col tempo, cominciarono invece a diffidare di lui.

Tutto cominciò una sera che si discorreva del pericolo in Italia di un colpo di stato. Ci credevano tutti e nessuno, tranne Candido, avanzava il dubbio che non riuscisse. Qualcuno disse che bisognava tenersi pronti a lasciare l'Italia; e quasi tutti si dichiararono d'accordo. Candido domandò: «E dove andreste?». I più risposero che sarebbero andati in Francia; altri in Canada e in Australia. Candido domandò, e lo domandò anche a se stesso, poiché anche lui aveva pensato, come i più, alla Francia: «E com'è che nessuno di noi vuole andare nell'Unione Sovietica?». Alcuni lo guardarono torvamente, altri mugugnarono. «È o non è un paese socialista?» incalzò Candido. Quasi in coro gli risposero: «Ma si capisce, ma certo... È un paese socialista: come no?». «Ma allora» disse Candido «dovremmo volerci andare: se siamo socialisti». Si fece un gelido silenzio; poi, come se fosse più tardi del solito, e invece era più del solito presto, tutti si alzarono e se ne andarono. Qualche giorno dopo, da un compagno più degli altri caritatevole, Candido seppe che i compagni lo consideravano ormai, per le battute di quella sera, un provocatore. E più, poi, tentava di spiegare, di chiarire, più quelli si chiudevano nella diffidenza e pungevano. Candido ne era amareggiato e travagliato. Finché una sera, tornando da una di quelle riunioni, Francesca disse: «E se fossero soltanto degli imbecilli?». E fu il principio della liberazione, della guarigione.

Intanto, Torino diventava una città sempre più cupa. Era come confusamente sdoppiata, come liquidamente divisa: due città che reciprocamente si assediavano, nevroticamente, senza che di ciascuna si riconoscessero le posizioni, le difese, gli avamposti, i cavalli di Frisia e di Troia. Il nord e il sud d'Italia vi si agitavano, pazzamente cercavano di evitarsi e al tempo stesso di colpirsi: entrambi imbottigliati a produrre automobili, un necessario a tutti superfluo, un superfluo a tutti necessario. Propriamente imbottigliati: e Candido applicava alla città l'immagine dei due scorpioni nella bottiglia in cui un famoso giornalista americano aveva sintetizzato la situazione delle due potenze atomiche, l'Unione Sovietica e gli Stati Uniti d'America. Anche il nord e il sud d'Italia erano come due scorpioni nella bottiglia: nella bottiglia che era Torino.

Ne scriveva a don Antonio, di quel che era Torino. E don Antonio rispondeva che sì, certo, era una situazione terribile: ma se l'erano voluta, i piemontesi; ed era giusto pagassero. Ma paghiamo anche noi meridionali, ribatteva Candido. Sì, ma ad un certo punto romperemo la bottiglia: rispondeva don Antonio. Era diventato un po' gauchiste, un po' maoista, un po' maggio francese. Ma sempre dentro il Partito Comunista. Scavalcarlo a sinistra, diceva, è pura, infinita, circolare follia: ci si ritrova a destra senza accorgersene. Ma, domandava Candido, non è come star dentro un'altra bottiglia? Sì, rispondeva don Antonio, ma non da scorpioni.

Dei viaggi a Parigi di Candido e Francesca; e della loro decisione di stabilirvisi.

Andavano spesso a Parigi. Ogni volta che avevano una vacanza che durasse più di quattro giorni: in modo da starci almeno per tre giorni pieni, considerando le ore che ci volevano con l'andare in treno. Non avevano automobile; l'avevano come naturalmente rifiutata, abitando quella città da cui le automobili in tutta Italia dilagavano. E una delle ragioni del loro amore a Parigi – oltre quelle dell'amore all'amore, dell'amore alla letteratura, dell'amore alle piccole e vecchie cose e ai piccoli e antichi mestieri – stava nel fatto che vi si poteva ancora camminare, ancora passeggiare, ancora svagatamente andare e fermarsi e guardare. Soltanto a Parigi, per esempio, camminavano tenendosi per mano; soltanto a Parigi il loro passo assumeva una goduta lentezza. Vi si sentivano insomma sciolti e liberi. Ed era sì un fatto mentale, un fatto letterario: ma qualcosa c'era negli spazi, nei ritmi dell'architettura e della vita che vi si muoveva, che consentiva all'idea, e magari al luogo

119

comune, che della città si aveva prima di conoscerla. Era una grande città piena di miti letterari, libertari e afrodisiaci che sconfinano l'uno nell'altro e si fondono: così come in un nudo di Courbet si sente l'interludio tra un amplesso e l'altro, la Comune e la conversazione con Baudelaire; ma era anche un insieme di paesi piccoli tra i quali scegliere, ritagliare e vivere quello che meglio ci si addice, quello in cui siamo nati o quello in cui abbiamo sognato di vivere. Piccoli paesi che sfaccettano e ripetono la città grande; grande città che sente la campagna, che se ne alimenta e ne respira, che per emblemi la ripete. «Davanti alle botteghe sostavano dei gatti, agitavano la coda come una bandiera. Stavano fermi con gli occhi che osservavano attenti, come cani da guardia davanti ai cesti d'insalata verde e di carote gialle, di cavoli dai riflessi bluastri e di rosati ravanelli. Le botteghe sembravano orti... Le terrazze dei caffè fiorivano di tavoli rotondi dalle gambe sottili, e i camerieri avevano l'aspetto di giardinieri, e quando versavano il caffè e il latte nelle tazze pareva annaffiassero delle bianche aiuole. Lungo i margini c'erano alberi e chioschi, pareva che gli alberi vendessero giornali. Nelle vetrine la merce danzava alla rinfusa, ma in un ordine ben preciso e sempre soprannaturale. Le guardie nelle strade andavano a passeggio, già, a passeggio, una pellegrina sulla spalla destra o sulla sinistra; che quell'indumento dovesse proteggere dalla grandine e da un acquazzone era ben strano. Tuttavia lo portavano con una fiducia incrollabile nella qualità della stoffa o nella bontà del cielo – chi può saperlo? Non giravano come guardie, ma come della gente che non ha da fare e ha tempo di vedersi il mondo». Così come per il tenente Franz Tunda nel 1926 (austriaco, prima disperso dalla guerra in Siberia, poi dalla pace in Europa) era Parigi per Candido e Francesca mezzo secolo dopo. E forse la città non era più così per coloro che vi erano nati e l'abitavano e per coloro che la conoscevano da prima. «Parigi non è più Parigi»: un'idea corrente, affermata da quelli che la conoscevano bene e da quelli che non la conoscevano affatto. Ma per loro Parigi era ancora Parigi.

Ci andavano appena potevano, dunque; e sempre vagheggiavano di restarvi. E poiché Candido in officina spesso ne parlava, un giorno da un compagno, che stava per andarsene a Parigi, a lavorare nell'officina di un suo parente, si ebbe la proposta che andasse anche lui: il lavoro era sicuro, la paga buona; e Parigi era Parigi. Ne parlò con Francesca. All'immediato entusiasmo seguì in lei la preoccupata riflessione: Candido avrebbe ritrovato il proprio lavoro, ma lei avrebbe perduto il suo. E come si poteva vivere a Parigi senza che anche lei lavorasse e guadagnasse?

Stavano rassegnandosi a rinunciare quando a Francesca venne – su un libro mal tradotto dal francese, e nella considerazione di quanto fosse mal tradotto – un'idea. Il francese che aveva studiato all'istituto del Sacro Cuore lei non lo aveva mai abbandonato: l'aveva anzi coltivato e migliorato. Andò da Einaudi e chiese che le facessero tradurre qualche libro. Con qualche perplessità, come per contentarla e levarsela di torno, le diedero da tradurre, in prova, *Un rêve fait à Mantoue*. Francesca ne scorse qualche pagina. Il nome dell'autore, Yves Bonnefoy, era quasi augurale. Buonafede. La buonafede. Ma coloro che glielo davano da tradurre tanto in buonafede non erano. Il testo era difficile: volevano dunque scoraggiarla, vedersela ricomparire soltanto per riconsegnare il libro e rinunciare al lavoro.

Francesca si mise in puntiglio. Lavorò, si può dire, giorno e notte. Quando tornò da Einaudi sapeva di Bonnefoy tutto quello che dalle biblioteche di Torino era possibile sapere e portava un capitolo tradotto. Le fecero poi sapere che andava bene, che poteva continuare il lavoro, che la sua traduzione sarebbe stata pubblicata.

Ogni sera leggeva a Candido quel che aveva tradotto. Bonnefoy piaceva a tutti e due, quasi l'amavano. *Un sogno fatto a Mantova*. Una sera, che erano vicini a partire per Parigi e si sentivano come presi in un sogno, come dentro un sogno, Candido disse: «Sai che cos'è la nostra vita, la tua e la mia? Un sogno fatto in Sicilia. Forse siamo ancora lì, e stiamo sognando».

Della corrispondenza tra Candido e don Antonio; e del viaggio a Parigi di don Antonio.

Don Antonio approvò il loro trasferimento a Parigi. Approvava quasi tutto che nascesse da inquietudine o che fosse tentativo di realizzare quel che si vuole o si sogna. E lo approvava con la malinconia di chi, prigioniero, non ha invidia della libertà di cui gli altri godono: soltanto, appunto, la malinconia, il rimpianto, di non aver visto, a un certo punto della vita, il varco della possibile evasione, della possibile libertà. «Mi sento sempre più prete» scriveva «e in ciò mi aiuta, aiuto di cui avrei invece voluto fare a meno, l'evoluzione del partito; evoluzione che io non disapprovo, che non discuto (un marxismo che non si evolve, che non si adegua alla realtà, che non sia duttile, sarebbe paralisi, negazione di sé) se non in rapporto a me, a questo me stesso duro a morire e che vorrebbe da altri essere aiutato a morire... Forse mi sposerò... Forse tornerò a fare il prete...». Gli venivano a volte le impennate di sinistrismo, le invettive contro il partito: «Il partito della classe operaia! E, per di più, cioè per di meno, della classe operaia occupata! Come se la classe operaia occupata, appunto perché occupata, appunto perché non preoccupata, non sia suscettibile di corruzione se inserita, come di fatto è, in un tessuto corrotto... Soltanto dalla disoccupazione e dalla scuola, che è poi l'immensa anticamera della rivoluzione, può venire non dico la rivoluzione, ormai rimandata a data da non destinarsi, ma la forza per un vero, effettuale mutamento delle cose italiane... Ma di disoccupati e di studenti il partito non vuol saperne, e molto di più di quanto loro non vogliano saperne del partito. Alla parola studenti, un buon comunista tira fuori la rivoltella: come il dottor Goebbels alla parola intellettuali. Ma io non sono un buon comunista...». Ma qualche volta tirava fuori anche lui la rivoltella: «Quel che il gauchisme studentesco non ha capito (e non poteva capirlo, suscitato com'è dai pargoli della borghesia) è che non si può dire all'operaio che finalmente sta mangiando che, appunto per il fatto di star mangiando, corre il rischio di non essere sufficientemente rivoluzionario. Lasciare il piatto di lenticchie per riprendersi la primogenitura rivoluzionaria, non sembra per niente giusto alla classe operaia: e perciò nell'amico che gli vien fuori da sinistra intravede, sotto il linguaggio rivoluzionario, le bandiere rosse e i ritratti di Lenin, il vecchio nemico che fino a ieri veniva fuori solo da destra». Tornava poi a prendersela col partito: «Ieri ho incontrato un ragazzo che tornava da Mosca. C'era stato per quattro mesi, mandato dal partito a prender lezioni di marxismo-leninismo; e cioè di stalinismo. Esattamente come si faceva vent'anni fa. Oggi ne ho domandato all'onorevole di Sales: disse che non ne sapeva nulla, e anzi gli sembrava impossibile. Gli ho dato nome e cognome del ragazzo, gliel'ho descritto. Lo conosceva, ma non sapeva fosse stato mandato a Mosca. Mi ha regalato una spregiudicata battuta. "Forse" ha detto "si mandano a quella scuola i più cretini". Gli ho risposto: "Sì, può darsi; ma poiché anche nel partito l'avvenire è dei cretini...". Ha sorriso malinconicamente: forse è convinto che l'avvenire è dei cretini, se lui in questi ultimi tempi è stato tenuto in disparte. Ormai quando due comunisti si incontrano (ma che siano proprio due, non di più) parlano dell'Unione Sovietica, del partito e di certi uomini del partito con la stessa spregiudicatezza e libertà con cui i preti tra loro parlano del papa, della curia romana e di quella vescovile... Comunque, questa storia del ragazzo mandato a scuola in Russia, dice che tutto il bel parlare che si fa di eurocomunismo, di comunismo italiano, di emancipazione dall'Unione Sovietica, è soltanto un bel parlare...». Ma qualche mese dopo: «Liquidare il mito di Stalin era già stato un grosso errore; liquidare quello dell'Unione Sovietica lo è ancora di più. E del resto, non credo che quello dell'Unione Sovietica sia un mito (lo è ancora per i vecchi comunisti di base) vuoto o che, addirittura, l'Unione Sovietica sia un paese fascista, come dicono certi comunisti che pure, ancora, ci vanno per curarsi o per interminabilmente banchettare: la rivoluzione c'è stata...».

Nelle sue lettere, Candido gli parlava di Parigi, della vita che con Francesca vi faceva, delle cose che vedevano; don Antonio invece di altro non scriveva che del partito, del suo essere comunista e di come era o non era comunista il Partito Comunista. Era, ogni volta, una verità. Ad un certo punto Candido tentò di metterle assieme, tutte quelle verità. Non ci stavano: era come un ribollimento, come un traboccar fuori... Scrisse a don Antonio: «Ho riletto le sue lettere: ci sono tante verità, e così contrastanti, che un uomo non può contenerle tutte, né un partito». Don Antonio rispose: «Un partito non può contenerle tutte: e difatti il Partito Comunista va trascegliendo le peggiori. Ma la sinistra e l'uomo di sinistra sì... Queste tante verità che debbono necessariamente stare assieme, costituiscono il dramma dell'uomo di sinistra e della sinistra. E il Partito Comunista deve tornare a viverle tutte, se non vuole uscire dalla sinistra... È come, per il cattolico, il problema del libero arbitrio e della predestinazione: due verità che debbono coesistere». Candido non sapeva molto del problema del libero arbitrio e della predestinazione. Rispose: «E se l'insieme di tante verità fosse una grande menzogna? È una domanda semplice che potrebbe trovare una risposta semplice».

Don Antonio rispose: «Ne parleremo quando verrò a Parigi». Lo diceva fin da quando vi si erano trasferiti, che un viaggio a Parigi lo avrebbe fatto. Lo fece, rimandando da un mese all'altro, da un anno all'altro, nell'agosto del 1977. Candido e Francesca andarono a prenderlo alla Gare de Lyon. Era molto invecchiato; e stanchissimo del viaggio, stralunato. Ma già nella corsa del tassì dalla Gare de Lyon all'albergo di Saint-Germain che gli avevano prenotato, soltanto a leggere i nomi delle strade e dei ponti, a vedere la Senna e Notre-Dame, si era rinfrancato, era tornato ad essere – vivace, curioso, instancabile – il don Antonio di dieci anni prima.

Dell'incontro di Candido con sua madre e della serata che trascorsero assieme; e di come, quella sera, Candido arrivò a sentirsi felice.

«La sera me ne andai da Lipp». Era come un motivo musicale, da canzonetta, che in don Antonio affiorava ogni volta che vi passava davanti; e vi passava più di una volta, in un giorno, poiché era vicino al suo albergo. «La sera me ne andai da Lipp». Hemingway o Fitzgerald? Forse Hemingway, *Festa mobile.*

C'era con lui Candido una volta che, invece di ripetersela mentalmente, disse a mezza voce la frase. «La sera me ne andai da Lipp». E Candido disse: «E stasera ci andiamo... Nel pomeriggio, anzi; ché di sera è difficile trovar posto».

Ci andarono di pomeriggio. Tutti i tavoli erano occupati, stettero ad aspettare che se ne liberasse uno. Finalmente l'ebbero, in un angolo. Vi stavano scomodi, in tre: ma don Antonio, Candido lo capiva, desiderava segnare come visitato quel luogo, nella mappa dei luoghi mitici parigini che in tanti anni di letture si era disegnata.

Francesca e Candido chiesero un caffè; don Antonio un armagnac: e perché non riusciva a bere più di un sorso del caffè che si faceva a Parigi, e perché a Parigi voleva mangiare e bere secondo letteratura. Armagnac, dunque. O pastis. O calvados. Strenuo omaggio alla letteratura, per un siciliano quasi astemio, abituato a bere un mezzo bicchiere di vino rosso sui pasti del mezzogiorno e della sera: come quasi tutti i siciliani.

Parlarono di Hemingway e di Fitzgerald, degli americani a Parigi, degli scrittori americani da don Antonio letti negli anni del fascismo, e gli parevano allora grandissimi tutti, e da Candido e Francesca letti poi distrattamente e persino con insofferenza. A lato a loro era una coppia di americani. Non c'era da sbagliarsi, che fossero americani. L'uomo aveva capelli bianchissimi e ben pettinati sul volto pieno e roseo, occhiali dalla leggera montatura metallica, sigaro tra i denti; la donna era vecchia nel volto, i capelli di un bianco che dava nel violetto, grandi e pesanti gli occhiali a forma di farfalla, il corpo snello e giovanile. In lui era un che di stanco, di annoiato, di assonnato: a contrasto della scattante volubilità con cui lei parlava e muoveva le mani. Soltanto le donne americane sono così vecchie e insieme così giovani; e soltanto gli uomini americani hanno quell'aria di assonnato dopopranzo – di buon dopopranzo, ma quasi al punto della nausea – di fronte alle loro consorti.

Quando Francesca, don Antonio e Candido sedettero al tavolo vicino a loro, lei parlava e il marito annuiva muovendo quasi ritmicamente la testa. Poi lei tacque: e sembrava intenta a cogliere quel che i tre appena arrivati si dicevano. A un certo punto si voltò verso di loro e domandò in italiano: «Italiani?». Francesca, don Antonio e Candido dissero di sì. «Sono italiana anch'io» disse l'americana. Sembrava non avessero più niente da dirsi; ma dopo averli lungamente scrutati la donna domandò ancora: «Siciliani?». Alla risposta affermativa, rivolta al marito emise un lungo: «Oh!» di meraviglia e di contentezza, il tipico «oh!» degli americani che si sente serpeggiare, come un filo che li unisca tutti, tra la folla che il 14 luglio assiste ai fuochi d'artificio sulla Senna: ad ogni sbocciare di luce nel cielo. «Sono siciliana anch'io» disse poi; e tornò a scrutarli con una espressione esitante ed ansiosa, quasi che la domanda che voleva fare, che stava per fare, dovesse scoprire la carta del destino.

Si decise finalmente a farla. «Di quale città?».

Don Antonio disse il nome della loro città.

Lei si alzò vibrante di emozione, di commozione; la mano sul petto come a contenere i battiti del cuore. Parlando a don Antonio ma guardando Candido disse: «Lei è l'arciprete Lepanto; e tu...». Ma già da qualche secondo Candido sapeva che quella donna era sua madre.

Ci fu, da Lipp, una scena da feuilleton; cui mise fine l'avvicinarsi di un cameriere. Pagarono, uscirono. La signora Maria Grazia si tolse i grandi occhiali a farfalla, si asciugò le lacrime. Teneramente sorreggendola e ripetendo il suo nome «Grace, Grace» il marito guardava i tre con aria di rimprovero: come colpevoli di una intrusione che stava guastandogli la vacanza.

Grace si rasserenò. Indicando il marito disse a Candido: «Questo è...». Forse stava per dire tuo padre, forse mio marito. La faccia le avvampò, si smarrì. Dopo un po' disse: «Questo è Amleto». Amleto strinse calorosamente la mano a Candido, a Francesca, a don Antonio ad ognuno domandando in italiano: «Come va?». Tutti e tre risposero che andava bene.

Era, per Grace ed Amleto, l'ultima sera che passavano a Parigi: sarebbero ripartiti l'indomani, né Amleto poteva rimandare la partenza. Era un peccato, essersi incontrati proprio quell'ultima sera. Candido stava a Parigi, loro c'erano da due settimane:

che bello se si fossero incontrati prima! Comunque, per quella sera sarebbero stati assieme. Cerimoniosamente, Amleto li invitò a cena tutti e tre: in un ristorante famoso.

Camminarono per Parigi parlando della loro città (che un po' anche Amleto considerava come sua per averla avuta per qualche mese ai piedi e per avervi trovato la donna della sua vita), della Sicilia, dell'Italia, dell'Europa. Senza volerlo, evitavano di parlare della loro vita. Ma ci pensavano, e specialmente il figlio e la madre: ed entrambi inutilmente si sforzavano all'amore, al rimorso. Se fossero stati soli, non avrebbero avuto niente da dirsi; o pochissimo. Per fortuna c'erano don Antonio ed Amleto, che avevano attaccato a parlare di politica.

«Dopo trentaquattro anni...» cominciò don Antonio.

«L'età tua» interruppe Grace guardando con tenerezza Candido.

«Dopo trentaquattro anni» riprese don Antonio «forse posso farle una domanda che spero lei non considererà indiscreta».

«La faccia» disse Amleto.

«Ecco, la domanda è questa: come ha fatto lei, dopo appena qualche giorno che era arrivato nella nostra città, a scegliere per le cariche pubbliche i peggiori cittadini? Se li è trovati subito intorno o gli erano stati prima segnalati?».

«Erano i peggiori?» domandò Amleto sorridendo.

«Sì, lo erano... Ma badi che io, ora, la domanda gliela faccio per curiosità diciamo storica, senz'ombra di polemica».

«Posso rispondere, non credo di essere ancora tenuto al segreto: non li ho scelti io. Quando mi hanno mandato nella vostra città, mi hanno consegnato la lista delle persone di cui dovevo fidarmi... Dovevo: era un ordine, insomma». E molto formalmente aggiunse: «Mi dispiace».

«È dispiaciuto di più a noi» disse don Antonio. «Comunque, l'ho sempre sospettato. Voglio dire: che lei fosse arrivato con la lista dei capi della mafia in tasca».

«Le dirò che l'ho sospettato anch'io, che mi avessero dato una lista di mafiosi... Ma, veda, noi stavamo facendo una guerra...».

Parlarono della guerra, della pace; e della Germania. Grace ed Amleto avevano passato due mesi a girare per l'Europa: e soltanto la Germania non li aveva delusi. «L'Europa» disse Amleto «è diventata un orfanotrofio: gli orfani di de Gaulle, gli orfani di Franco, gli orfani di Salazar; e, in Italia, gli orfani del Partito Comunista... Soltanto i tedeschi hanno un padre, anche se è un fantasma».

«Un fantasma come il padre di Amleto per Amleto» disse don Antonio.

Amleto sorrise del richiamo ad Amleto. «Ma» disse «poiché in Europa se ne preoccupa soltanto Sartre, le pare il caso che proprio noi americani dobbiamo preoccuparcene? Al contrario, io credo...».

Erano già al ristorante. Grace ordinò: «Basta con la politica, pensiamo al pranzo». Amleto si intendeva di vini, li scelse, sottopose la sua scelta al giudizio degli altri: ma nessuno se ne intendeva quanto lui.

Mangiarono bene; Amleto e don Antonio bevvero copiosamente, moderatamente gli altri.

Accompagnarono in albergo Grace ed Amleto. Grace invitò Candido e Francesca a trasferirsi in America. «Una volta o l'altra» promise Candido «verremo. Ma di stare voglio stare qui... Qui si sente che qualcosa sta per finire e qualcosa sta per cominciare: mi piace veder finire quel che deve finire». Abbracciandolo ancora una volta sua madre pensò: «è un mostro»; ma tra le lacrime disse: «In America c'è tutto: ti aspetto».

Candido, Francesca e don Antonio discesero per gli Champs-Élysées. La notte era tiepida, dolcissima. Decisero di trascorrerla camminando per Parigi, poiché l'indomani era domenica. A don Antonio quei buoni vini avevano messo non si poteva dire allegria, ma fantasia, ma libertà. Diceva: «Hai ragione, è vero: qui si sente che qualcosa sta per finire; ed è bello... Da noi non finisce niente, non finisce mai niente...». Gli venne quasi un singhiozzo.

Passarono davanti alle statue di Maillol: don Antonio vagheggiò di dormire accanto ad una di quelle donne di bronzo. «Di dormire» disse «di dormire castamente: il più casto sonno della mia vita». Lungamente parlò della castità, e col latino dei santi padri.

Passarono il ponte Saint-Michel e don Antonio, quasi predicando, cominciò: «Qui, nel 1968, nel mese di maggio...».

«Erano i nostri nonni o i nostri nipoti?» lo interruppe Candido.

«Domanda inquietante» disse don Antonio. E si zittì. Pensava, borbottava.

Dal quai, imboccarono rue de Seine. Davanti alla statua di Voltaire don Antonio si fermò, si afferrò al palo della segnaletica, chinò la testa. Pareva si fosse messo a pregare. «Questo è il nostro padre» gridò poi «questo è il nostro vero padre».

Dolcemente ma con forza Candido lo staccò dal palo, lo sorresse, lo trascinò. «Non ricominciamo coi padri» disse. Si sentiva figlio della fortuna; e felice.

Racalmuto, 3 ottobre 1977

NOTA

Dice Montesquieu che «un'opera originale ne fa quasi sempre nascere cinque o seicento altre, queste servendosi della prima all'incirca come i geometri si servono delle loro formule». Non so se il *Candide* sia servito da formula a cinque o seicento altri libri. Credo di no, purtroppo: ché ci saremmo annoiati di meno, su tanta letteratura. Comunque, che questo mio racconto sia il primo o il seicentesimo, di quella formula ho tentato di servirmi. Ma mi pare di non avercela fatta, e che questo libro somigli agli altri miei. Quella velocità e leggerezza non è più possibile ritrovarle: neppure da me, che credo di non avere mai annoiato il lettore. Se non il risultato, valga dunque l'intenzione: ho cercato di essere veloce, di essere leggero. Ma greve è il nostro tempo, assai greve.

FINITO DI STAMPARE NEL FEBBRAIO 1990 IN AZZATE
DAL CONSORZIO ARTIGIANO « L.V.G. »

Printed in Italy

FABULA